深藍

少年

科能的末日對決

星夜出版
Starry Night Publications

# CONTENTS...

013%

0123456789

013%

# 序章　最後一課

（本章以單車的視點進行）

## 序章

最後一課

我改變不了世界，我卻改變了更多的世界。科學與異能，最終能拯救世界末日的是何者？抑或……

＊＊＊

（星期六，上午九時，香港科技大學）

教授說：「神話，是指關於人類和世界變遷的神聖故事，一般來自原始社會，當時人們的知識水平不高，只能通過有限的智慧加上想像，解釋周遭發生的事……」

我正在 Lecture Theatre A 內上課。上午九時的課堂一向不受歡迎，除了出席率偏低外，即使學生賞面到場，不少人不是打瞌睡，就是吃早餐，甚至乾脆倒頭大睡。今日的情況更加惡劣，因為是星期六，出席率只剩下不足兩成，空座比學生還要多，而在座的亦不太專心，只想着課堂後到哪裏吃喝玩樂。

「神話顧名思義，都涉及神，他們具有超越人類的能力。在世界各地的原始社會中，因為不同文化和風俗，流傳着內容及風格各異的神話，所以神話具有地域性，有時候即使出現相同的神祇，祂所象徵的意義在各地或會有分別……」

我正在上的課是「古代神話」，是今年新開的人文學選修課程。我本身主修物理，跟神話這種不科學的東西看似南轅北轍、格格不入，它卻勾起了我對世界的好奇心。因為我明白，科學其實有其局限，在科學家歸納或建構出正規理論之前，不少今日看似稀鬆平常的自然現象，都曾經被神鬼化，例如日食被說成天狗食日、行星逆行被想像成不祥之兆等，所以神話依然有其參考價值。

加上在過去三年，我親身體驗了不少稀奇古怪又難以解釋的經歷後，及後每當我遇到所謂不科學的事物，在找到確實證據推翻前，我也會盡量抱持開放態度。可是我萬萬

預料不到，接下來的遭遇竟比之前的更失去常理、更難以接受……

「在希臘神話中，克洛諾斯是天神烏拉諾斯及地神蓋亞所生最小的兒子。烏拉諾斯是當時眾神之首，統治整個宇宙。克洛諾斯不單推翻了父親的統治，更用鐮刀把祂的睪丸割下掉到海中，克洛諾斯因此被認定為殘暴不仁和混沌的象徵……」

這堂課本來不是在星期六上，只是因為教授前幾天病倒了，而他的課程內容又相當豐富，所以安排了補課。中學補課我聽得多，大學補課倒是第一次發生。

「然而在羅馬神話中，克洛諾斯則名為撒頓。祂是黃金時代的地上王者，是農業之神，司掌農耕、時間及節氣。在祂的管治下，人民豐衣足食，因此撒頓受萬民景仰，更建有神殿供奉，跟希臘神話的可怕形象大相逕庭……」

說起來，其實我有考慮過今日「走堂」，不過不是出於懶惰，而是因為高健擔心我會有危險。

高健全名高永健，是我的大學同學，我們從小學就相識。雖然就讀於不同學系，但我們幾乎每天都會見面，尤其現在我們還是戰友，關係就更加密切。

前兩天，他得知我今日要補課時，一臉凝重地勸我：「單車，不如你不要去吧，因為那是星期六啊……」

的確，「他們」在最近的幾個星期六都有所行動，不難推斷這個星期六也會發生什麼事，但我覺得，如果因為這樣就停止一切活動來應付「他們」，也未免有點「斬腳趾避沙蟲」。我於是決定前來補課，而高健為了保護我則駐守在大學附近，方便有需要時立刻趕來。當然，事前我沒有想過，「他們」今回的目標是我，並已聚集在校園附近等候機會來襲。

## 序章

最後一課

「克洛諾斯，又或者撒頓，其對應的行星……」教授繼續在台上講課，然而說到這裏，他的話被無禮地打斷了。

「砰！」講台一旁這時發出巨響，我抬頭一看，發現左邊的後門被人用力踢開了。一名穿着黑色長袍的男人怒氣沖沖地闖入演講廳，他站在門前，以血紅的雙眼逐一掃瞄學生的容貌。

我起初認不出這個人，因為我是第一次親身看見他，然而他的照片我早已看過不下十張，而且我為應付他準備了多時，所以不一會我就確定他的身分，並知道他來者不善。這一日其實早晚都會來臨，只是比我想像中早了一點而已。

我繼續坐着，看看他的葫蘆裏到底賣什麼藥之餘，同時拚命盯着他的嘴巴，避免錯過接下來他說的任何一句話。其他學生開始嘈吵起來，討論這衣着突兀的怪人。

至於台上的教授，由於講課被打擾了，他便皺着眉，不滿地質問該名男子：「我正在上課，你突然走進來，到底想怎樣？」

「這裏沒你的事，要命的話就快點離開！」男子無禮而急促地回應。教授鄙夷地瞥了他一眼，就別過臉去，不打算跟不講道理的人糾纏，直接走到旁邊拿起演講廳內的電話，打算召喚警衛來驅逐他。

那名男子沒理會教授的行動，繼續望着議論紛紛的學生們。不一會，他終於發現了我，並把視線停留在我的臉上。

他原本血紅的眼球，爆出更多的紅筋，他暴怒地瞪着我，頸部的青筋乍現，同時緊握雙拳，大戰看來一觸即發。

果然，接下來他踏前一步，舉起右手，指着坐在演講廳中央的我大喊：「單車，今日就是你的死期！」

# 第一章　禁言之戰

（本章以單車的視點進行）

# 第一章

禁言之戰

1

既然這名男子是衝着我而來,我亦不可能置身事外,加上我不希望影響其他人,於是站起來堂堂正正地回應:「Titan,你的目標是我,不要傷害到其他人,我們出去外面公平對決吧!」同一時間,我偷偷按下褲袋內的裝置,通知高健這邊發生了事。

Titan 是眼前這名男子的代號,他的原名柳凝,本來是一名網絡作家,因被揭發聘請代筆撰寫小說而聲名狼藉,成為過街老鼠、走投無路,那時「第六國度」的發起人 Cronus 表示願意收留他,並答應日後會協助他捲土重來,於是 Titan 便加入了 Cronus 麾下,到處生事,成為我們的敵人。

話說回來,我會當着其他人面前這樣回應 Titan,是因為我認為 Titan 是個男人,面對我的公開挑戰,他理應會堂堂正正地跟我對決。不過,我實在太天真,忘記了他本來是個卑鄙陰險的小人。

他嘴角上揚,以極誇張又尖銳的音調奸笑一聲後說:「傻的嗎?我才不會跟你公平對決。這裏人多就好,我的能力將會發揮最大作用,更可以順道殺幾個人。」

Titan 說得沒錯,他的能力在人多嘈吵的地方會變得異常強大,這樣的話我就毫無勝算,因此我絕對不能讓這個情況出現,要在他使用能力前控制場面。我於是繼續一邊盯着 Titan 的嘴巴,一邊跨過前面的座椅,跳進沒人坐的一列,再向他全速跑過去,盡快縮窄我們之間的距離。同時,我放聲大喊,驅使其他人離開:「這人是第六國度的恐怖分子,大家快疏散!」

「呀!」尖叫聲立時從四方八面傳來,顯然大家一聽到面前突然出現的是第六國度的人,便立刻驚慌起來。第六國

度不是第一次出現搞事，他們在過去的兩個星期六都有到處作惡、四出破壞、燒車放火、公開殺死路人並進行肢解等，所到之處生靈塗炭，電視及網上新聞皆有大幅報道，難怪同學們會如此恐慌。

在同一時間，我眼角偷望其他人疏散的情況，他們總算是在離開演講廳。不過，有一點令我相當在意，就是其他同學逃生時的行為。雖然大部分人是「正常地」慌忙逃生，但有一名在後座的女同學，她單手按着面前的椅背借力，用力一按就翻身跳過了多行座椅直接到達正門出口；也有一名男同學，走到出口時被人群擠塞着，情急之下竟然抱頭直衝，撞穿了旁邊的牆壁逃離演講廳。我們擔心的事似乎已一發不可收拾⋯⋯

這時我已走到台前，跟台上的 Titan 距離只有數米。Titan 眼見同學們都疏散了，面露不忿的神色，向我怒瞪了一眼，就走近還在台上的教授。

「教授，快逃！」我高呼，與此同時，也橫向跟隨着 Titan 移動，繼續盯着他的嘴巴。

一直呆在原地的教授，雖然之前甚有氣勢，但得知對方是第六國度的人後，還是連忙掛斷電話，乖乖逃命。然而他的年紀稍大，奔跑速度有限，不一會就被 Titan 追上了。

Titan 走近他時露出陰險的神情，同時雙手一揚，我的心臟猛然跳動起來，擔心他要對教授不利。然而他並非打算襲擊教授，而是想借機說出「封印口令」，在揚起雙手的同時，他在教授的耳邊低吟：「封印聲母：b、d！」

Titan 使用的能力名為「語言力場」，屬於「高階能力」。高健早前曾跟 Titan 交手，凌博士（我所屬組織 S 機關的首領，也是我的母親）當時也在現場，事後向我們說明了這個能力。根據她的解釋，「語言力場」

\\\\\\\\\\\\\\\\\\\\\\\\\

## 第一章

禁言之戰

禁止任何在「領域」內的人（包括能力者）說出被封印的「禁語」，而禁語則由能力者說出的「封印口令」指定。剛才 Titan 說了「封印聲母：b、d」，代表所有聲母為 b 或 d 的字皆成為禁語，例如「巴（baa）」和「打（daa）」等。粵語中的聲母共有 20 個，分別是零聲母 b、p、m、f、d、t、n、l、g、k、ng、h、gw、kw、w、z、c、s 及 j[1]，所以在他封印了 b 及 d 後，現在約有 10% 的字不能使用。

領域內的人如違反規定說出禁語，聲帶及喉嚨一帶的肌肉就會無故地擴張，繼而阻塞呼吸道導致窒息。不過，根據高健他們上次的經驗，即使「中招」後無法呼吸，只要及時離開「語言力場」的領域，效果就會解除。至於領域的範圍，是以能力者自身作為中心點畫一個圓形，圓形的大小則按能力者對能力的熟練程度而定。高健上一次碰到 Titan 時，領域的半徑約為五米，但現在是否仍是這樣就不得而知，因為領域並不能看見，只能靠身體感受。

聽起來，Titan 的能力相當強大及危險，不過，跟我能隨時回憶起發生在周遭任何事情的能力「永久記憶」不同，「永久記憶」屬於「基礎能力」，並沒有任何使用限制；高階能力則相反，正因為它們如此強大，所以都有「使用限制」。各能力的限制不盡相同，對 Titan 的「語言力場」而言，限制有二：一、他在說出封印口令時，必須讓領域內最少一人清楚聽到；二、他說出口令時，必須將雙手舉起在高於肩膀的位置。

這解釋了為何我剛才一直盯着他的嘴巴，因為當時還有其他人在他附近，萬一他故意低聲說出封印口令，只讓附近的人聽到，我就會錯過口令的內容而無法應對。幸而我有一直這樣做，所以即使他只在教授耳邊低吟，我仍能透過他的嘴唇得知口令的內容。

他說出口令後，一股無形的壓力立時撲向我。具體一點來說，那感覺就像玩機動遊戲「跳樓機」突然向下墜的一瞬間，又或者睡覺時夢見自己失足下墜的感覺，我的心頭也不期然揪緊了一下。

教授顯然也感受到這陣衝擊，而且事出突然，他好像因而暈眩了一下，雙手需按在旁邊的牆壁上協助平衡。還好，教授沒有被嚇倒，他趕緊走到後門離開了演講廳，期間沒有說話。這樣一來我就稍為輕鬆了，因為我們附近已沒有其他人，封印口令就必須傳到我的耳朵才算有效，所以我不用再死盯着他的嘴巴。氣氛總算暫時緩和，我自信地冷哼一聲後說：「這樣你就沒轍了。」

Titan 看到我的反應，多少猜到我自信的原因：「哦？看來你已知悉我＿能力，已為此訓練有素嗎？」在他的話中，「我」和「能力」之間顯然欠了連接詞，他抽起了禁語「的（dik）」字，說話時卻沒有絲毫窒礙。

我也不甘示弱回敬他說：「是啊！我已有充分準＿。」我故意使用「準備」一詞，卻把已是禁語的「備（bei）」字靜音，來暗示我不會輕易中招。

「嘿！那將會是持久戰呢！」他冷笑過後，我們二人互瞪着對方，沒有多言。

既然他不主動說話，我也不會這麼傻亂說話而增加危險。在「語言力場」內，避開禁語不說固然是策略之一，但更有效的是乾脆不說話。至於外語，凌博士不太肯定是否都受能力影響，也不知道是按拼音還是串法判定，為安全計還是不要試好了。

我們一直相對無言，跟 Titan 沉默對望雖然不好受，但我倒是高興，因為 Titan 似乎沒想到我早就想好對策，通知了高健，只要他一趕到，Titan 就完蛋了。

1 本文採用香港語言學學會的版本，其他版本或會以 ts 或 ch 代替 cʰ、y 代替 j，及 dz 代替 z。

第
一
章

禁言之戰

　　我一直期待着高健趕到，等候着他衝入演講廳時開門的聲音。不一會，那令人振奮的開門聲果然從背後傳來。我滿心歡喜地回頭一望，以為會看到救星，卻事與願違，進來演講廳的竟然是我的同學 Phoebe。

　　Phoebe 是我在這個課程內認識的同學，她今日的裝束跟平日上課時相似，穿着貼身粉紅色背心及牛仔熱褲，腳踏白色涼鞋。她無時無刻都散發着夏日的青春氣息，也毫不吝嗇地展現令人垂涎的身材及美腿。不要誤會，垂涎的人不是我，我是指其他男同學。

　　她手上拿着雞批及盒裝奶，姍姍來遲進入演講廳，看來並不知道剛才發生的事，以為課堂仍在進行中。她看到演講廳內只有兩個人，而且氣氛古怪，於是傻頭傻腦地側側頭向我們發問：「咦？課堂還未開始嗎？」

　　「……」我本想回答「不」，並着她不要多言及立刻逃走，但因為「不（bat）」是禁語，我一時間想不出替代字而沒有回應。沒料到正因為我的猶豫，竟害苦了 Phoebe，也間接引發了接下來眾多麻煩的事情。

　　2

　　Phoebe 看我張開了空洞的嘴巴卻沒有說話，一臉不解地皺起眉頭，打算追問：「單車，你……」然而她的話還未說完，便已露出痛苦的表情，雙手捏着頸倒地。

　　Phoebe 中了 Titan 的「語言力場」而無法呼吸，因為「單（daan）」字是禁語！

　　到此，我才明白 Titan 為何只封印 b 及 d 這兩個聲母，原來 b 只是煙幕，他真正想封印的是 d。這樣一來，及後進入演講廳的人只要呼喊我的花名「單車」，就會中計而窒息。

「哼！就靠你一人？你現在連話也無法說啊！」Titan被我擋着去路，不忿地說。然而我沒理會他，繼續在演講廳座位旁的樓梯上跟他對峙。

他的態度如此高傲並不無理由，我的確是處於下風。雖然我為了應付「語言力場」而練習過，要腦袋先想清楚每個字的聲母再說話，我卻沒想到他會連聲母 g 都封印掉。

我會有這個疑惑，是基於 Titan 解除能力的方法。他要解除已封印的禁語，方法有二：一、等候一小時自動失效，二、使用「解除口令」。由於解除口令是「解除聲母」，所以我一直以為，連同封印口令的「封印聲母」在內，封（fung）、印（jan）、解（gaai）、除（ceoi）、聲（sing）、母（mou）這六個字的六個不同的聲母（f、j、g、c、s、m）一定不會被封，否則連 Titan 都無法完全控制自己的能力。沒料到為了牽制我，他連解除口令中用到的聲母 g 都封印掉。他破釜沉舟，看來不跟我分出勝負是不會罷休。

不過，我的秘密殺手鐧依然有效，只要撐到高健折返，我們就必勝無疑。剛才我跟 Titan 相對無言已有一段時間，現在只要照辦煮碗一次，勝利女神就會成為我們的同伴。

想到這裏，我自信地瞪着 Titan，期望會像剛才一樣互相對望，儘管我根本不想跟這個醜男四目交投。不過，出乎我意料之外的事又再發生。冷不防間，他一掌把我推倒在地上。

「你……你想怎樣？」我雖然吃了一驚，但仍盡量保持冷靜，用有限的字詞小心質問。

他走近我，奸笑着說：「嘿！你以為我會再給你翻身可能嗎？」話語間，他巧妙地用了「可能」來代替禁語「機（gei）會」。

第一章

禁言之戰

我顯然沒他那麼善於避開禁語，有點吞吞吐吐地回應：「我……沉默，你就沒有……法子！」我亦分別以「沉默」及「法子」來代替「不（bat）說話」及「辦（baan）法」。

「是嗎？那就要看你＿（的）忍耐力了，嘿！」Titan本來已在奸笑，這時臉上的陰森感覺更上一層樓，皺紋顯得更深，雙眼好像散發着深邃而令人戰慄的凶光。

我感到事情正以超出我想像而非常不妙的方向發展，因此不禁打了一個寒顫，尤其他提到「忍耐力」一詞，腦海內立時湧現出各種可怕的影像。我當然希望自己猜錯，但我不得不提防。我二話不說，用手撐着地下，想要站起來。

然而，我的身體才離開地面，人還未完全站穩，Titan又再一次把我推倒。我整個人重重的跌到地上，一陣痛楚流過全身。我下意識想大喊來紓緩一下，卻又陡地停了下來，因為Titan竟在這時毫無預警下喊出封印口令：「封印聲母：零聲母！」

**{現時已封印的聲母包括零聲母、b、p、d、t、g}**

這一刻，我只懂瞪大眼睛望着面前這個瘋子。他是個貨真價實的瘋子，因為這次封印後，呀、哎、啊、哦、噢、誒、唉等屬於零聲母的助語詞全都不能用。同時，我大概猜到他這樣做的目的，強烈的不安及恐懼開始支配着我，我無意識地手腳並用往後爬，卻不得要領，因為他突然把腳用力踏在我的肩膀上，令我動彈不得。

我不是沒有考慮過他會在「語言力場」內使用武力，所以我之前才擔心他會想傷害教授。我只是沒料到，他現在明知高健在附近仍然這樣做。

「看來你猜出（到），接下來我會怎樣做呢！嘿嘿！」Titan說着之時，臉上陰險的程度有增無減，看來可怕的事即將發生在我的身上。

3

　果然，我還未來得及反應，身體便再次感受到痛楚：Titan 竟向我的側腹踢過來！

　我的腹腔受襲，體內的空氣受壓，立刻有湧出體外的意欲。然而這是非常危險，因為如果氣體高速噴出時震動了聲帶的話，極有可能發出屬於零聲母的聲音而受「語言力場」限制。我擔心我會不情不願地中招，故立時雙手掩口，阻止自己發出任何聲響。

　「哈哈！好玩！好看！」Titan 看到我痛苦的表情，仰天大呼過癮。他又提醒我說：「你要小心，『咳』仍可以，然而呻吟就可能會犯規，那就會失去性命喲喲喲！」他故意重複「喲」字，向我炫耀他巧妙地避開了「啊」字。

　我當然不會任由他繼續折磨我，於是想趁他說話時借機起身逃走。可是，他又一次看穿我的行動，這回他不只用腳踏着我的肩膀，還用力一伸把我壓向牆。及後我雖然嘗試以手抓住他的腳和擋住他的攻擊，但他顯然比我靈巧及氣力大，不一會我就招架不住，連續被踢中腹部。

　他玩得興起，坐到牆邊的座位用雙腳連環攻擊，時而踢向我，時而用鞋底猛捽。我背着突出的梯級，反作用力令背部異常刺痛，胸腹又同時受襲，是名副其實的腹背受敵。

　「好痛！」這是我當刻唯一的感覺，儘管我不能叫出來。上半身除了痛之外，什麼都感受不了，我亦無法正常思考，只有雙手掩口，默默忍耐，盡量撐到高健回來。他已救走 Phoebe 好一段時間了，只要他一回來，就會替我解圍。

　時間實在過得很慢，我忍受良久，高健仍未回來。Titan 此時停下動作，我以為他玩厭了我便得救，抬頭望向他，他卻對我報以邪惡的微笑。他說：「忍耐力很好，那就要升級（增加難度）喲！」

恐懼再次支配我的腦袋，因為 Titan 這樣說，肯定是想到更恐怖、更令人痛苦的行動。莫非他打算污辱我？

我當然猜錯了。接下來，他把我的右手拉起，似乎想折磨我的手。他要怎樣？咬我？夾手指？抑或打斷它？我愈去想，內心就愈是惶恐，但在我仍擔心着之際，痛起來的竟然又是腹部。原來，他抓起我其中一隻手，是要讓我只能單手掩口，同時加大踢向我的力度，這就是他說的增加難度。

我起初以為自己一直都撐得住，這樣應該不算得是上什麼，但隨着傷勢不斷加重，體力又開始耗盡，我感覺我快要到達極限。由於只剩一隻手掩口，痛楚卻有增無減，我只好用力咬緊下唇，防止自己忍不住大叫。雖然我還是撐住了，但表情開始扭曲，我實在不知道我還能忍多久。到底我會先痛死、被踢死，還是開口說出禁語窒息而死？我不敢想像，也無法思考，因為恐懼及痛楚已完全佔領了我的腦袋，眼角亦不期然湧出淚水。

「高健，你快點回來啊！」雖然我知道這並不科學，但在當刻，我只好在內心不斷如此祈求，渴望我強烈的思念能傳到他的心內。

Titan「提升難度」一段時間後，再次停下來，由於已經不是第一次，我自然不會天真地以為他會饒過我。果不其然，他露出殘酷的獠牙，對着面前的獵物虎視眈眈，似乎要進行更可怕的行動。

「忍耐力尚可，這樣才好玩喲！」讚賞過後，他終於道出終極陰謀：「接下來，讓你嘗嘗『男人最__（痛）』，你會怎樣呢？」

我還未來得及反應，他已把腳移近我的下體，更故意輕輕挑撥了數下來侮辱我。這刻的 Titan 不只是瘋掉了，簡直是變態！

「唔⋯⋯唔⋯⋯」我一隻手被抓住，另一隻手又在掩着口，只好低吟發出求饒的聲音，並以無辜的眼神看着他。我不想向他屈服，但我自知沒轍了，我可以怎樣？我還不想死啊！

「喝！」冷不防間，他大喝一聲，右腳迅速地踢向我。我的身體猛然一震，以為這下死定了，幸而只是惡作劇，他在中途減速沒有用力踢中我，但已足夠把我嚇得臉無血色，汗流浹背。

「哈哈！這次只是嚇一嚇你，然而下一次就要完了。」他說着之時，臉上一直展現的奸狡消失得無影無蹤，取而代之的是陰森及凶殘的表情。他眼睛發出的凶光，絕不是來自一般人，而是出自殺人狂魔！

完了！我知道這次他是認真的，接下來的攻擊，本身已經會造成常人不能忍受的痛楚，加上我的傷勢不輕，我絕對會承受不了而叫喊出來，那就很可能會觸及零聲母的封印，最終死於「語言力場」之下。

面對着身上異常的痛楚及死亡的威脅，我的肉體及精神都已到了崩潰的邊緣，唯一支撐着我的，就是渴望高健回來拯救我。

可是，高健把 Phoebe 送走後，為什麼這麼久還未回來呢？是因為我受着痛苦折磨，所以誤以為時間已經過了很久？

不，不可能！在這段時間，Titan 已多次對我說話，他亦因為感到枯燥而好幾次轉換折磨我的動作，這代表的確過了好一段時間。

那就奇怪，為何高健遲遲不回來呢？

難道他忘記了我？

抑或，他不明白我剛才的用意？

又或者，他也遇到什麼麻煩？

「高健，救我啊！我不想死！我不想變陳奕迅啊！」看到 Titan 已提起腳，我只能在心中作出最後的祈禱。

# 第二章　強制遊戲

（本章以高健的視點進行）

# 第二章

強制遊戲

1.

麻煩！

很麻煩！

真麻煩！

笨蛋單車不聽勸告，星期六還要回來科大補課，真是麻煩至極！那堂課只不過是什麼古代神話而已，既不是主科，而有關土星的神話我們最近不是已經聽了很多嗎？還有什麼好聽呢？補課什麼的就算了吧！

有時候，他的行為真是難以理解，我實在不明白他為何執意要回來。唉！算了，他的性格古怪偏執，我也不是第一日知道。為了顧及他的安全，我只好陪他回來，並在附近戒備，畢竟他的腦袋是我們最重要的皇牌之一，而他對我來說，也是最重要的人。

自從母親死了、哥哥離家出走、那個不堪的老頭再婚後，我的家變成可有可無，只不過是個睡覺的地方而已。反觀單車這個從小就認識的好友，對我來說更加重要。其實，他知道我不只把他當成一般好友嗎？

說起來，我認為他性格古怪，我不也是一樣？我為了調查母親死亡的真相，一直待在 S 機關內明查暗訪；到查出了真相後，又擔心擁有同一能力的單車會有什麼不測，最終仍留在 S 機關內。不過，事情發展至此，我無論是否 S 機關的人，都不能獨善其身了。

這是因為社會上最近出現不少麻煩，它們大都源自「第六國度」。第六國度是由 Cronus（脫離自 S 機關，前名為 Secretary）率領的新組織，當日她殺死了 S 機關的首領，即單車的父親單寧（單博士）後，騎劫了潛能覺醒計劃。這個計劃原本是為了讓人類進化，從而逃過因環境急劇污染導致

人類滅亡的厄運。不過，她騎劫計劃後，沒有按原本的方向推進，反而希望藉着計劃令一般人也能輕易覺醒到特殊能力，造成大規模的混亂。

她借機抓住了 Shirley，並迫使她覺醒強力又實用的特殊能力。自此之後，「能力者」的數量及威能超越了臨界量，覺醒特殊能力的形態形成場[2] 確立了，特殊能力就如傳染病般在人與人之間不斷傳播。雖然大部分人學會的能力都是可有可無，但在第六國度的催化下，情況漸漸變得失控。

由上兩個星期六開始，第六國度的人四出作惡，到處破壞及殘害市民。原本一般人不明不白地學會奇怪的「超能力」，大都不敢隨意及公開使用，因為擔心會被標籤為異類甚至被抓去研究。然而在生命安全受到威脅下，什麼都顧不得了，不少人因此在逃命期間使用能力。當少數人開始不顧其他人的目光使用特殊能力後，就會形成群聚效應，逐漸令更多人放下自我約束，在公眾場合使用。

最令人擔心的是，如果人們慢慢習以為常，在日常也胡亂使用能力的話，即使只是弱小的能力，還是有可能觸發蝴蝶效應，對既有的社會秩序造成難以估計的衝擊，社會就會變得混亂不堪，無法管治。雖然我不希望這個最惡劣的情況出現，可是直覺告訴我，距離完全失控的一日似乎已不遠了。想起來都覺得麻煩！

只是，第六國度為什麼要這樣做，我們暫時仍未有確實答案，Shirley 說她會盡力跟凌博士研究。我真的想不通，假如社會真的變得混沌不堪，他們到底會有什麼好處呢？

2

在科大北閘迴旋處，俗稱「火雞」的日晷附近，設有一間連鎖咖啡店。我呆坐在該處，守候了不知道多久，手機突然傳來特殊音效：「胖呦半！」

[2] 形態形成場是指發生在一個物種上的事情，當受眾數量或影響力累積至足夠大時，就會產生一種無形的力量，影響及擴散至往後出現或誕生的同一物種，而且不受時空所限。

這是代表「麻煩」的聲音！

我所說的「麻煩」語帶雙關，其一是為我帶來麻煩，另一是單車遇到麻煩。他透過這特殊通訊裝置通知我，代表他那邊發生了事，要我過去幫手，十不離九，應該是第六國度的人出現了。

雖然我只是接收到通知不久，但已多少感到情況不妙，因為我才走到大堂，在扶手電梯附近就看到一群人從教學大樓處蜂擁下來。他們有的使用扶手電梯，有的等不及，直接跑旁邊的樓梯。他們神情慌張，男男女女都不顧儀態，前仆後繼地奔跑。逃命之時，部分人更使用了他們的特殊能力，如加速及跳躍用的「電光石火」及「旱地拔蔥」，又或者防禦用的「金縷玉衣」等，令情況更添混亂。

在旁邊電腦室的人，或許也看到外面的亂象，逐漸加入逃走的行列。看到這個情況，我不知道應該感到欣慰還是不安，因為以往香港人的危機意識很低——例如火警警鐘響起來，一定覺得是誤鳴而不會逃生；看到無故冒起的濃煙，還會不顧安危，故意走過去看個究竟。第六國度到處破壞及殺人才兩星期，香港人就已經「學乖」了，懂得考慮自身安全而逃命，我實在不知道是否應該表揚第六國度把「教育工作」做得好。

在我看着這亂象之時，突然間，一陣怪風向我迎面撲過來，無形的壓力同時在我身邊凝聚起來。在過去多次跟第六國度的能力者交手時，我都有這個感覺，換句話說，有能力者在附近使用了特殊能力，而我亦身處在該能力的「領域」內。

事情變得愈來愈麻煩，我只好逆流而上，抵擋着人潮跑向教學大樓，不久便到達 Lecture Theatre A 的門外。

我才把正門推開就嚇了一跳，面前竟倒臥着一名身穿背心熱褲的性感少女。看到少女痛苦地抓着喉嚨的位置，她想

必是說了禁語，因而中了 Titan 的「語言力場」，這就解釋了為什麼我剛才有進入領域的感覺。

在不遠處，單車則與 Titan 對峙着。我看到笨蛋單車這時張開空洞的嘴巴，眼睛胡亂轉了數圈，就像快要爆炸的強國機械人一樣。我以為他也中了「語言力場」，嚇了我一跳，直到他開腔對我說：「走，再回來。」我才發現他是一直都想不到要如何說話。當刻我本想嘲笑他，但我怕聲母 h 已被封印，「哈」、「呵」、「嘿」等笑聲已成禁語，最終我只好報以微笑，才沒笑出聲[3]。

我立刻把少女抱走並急步離開演講廳，因為我知道接下來的一分一秒都非常關鍵。單車現在跟 Titan 單打獨鬥，雖然他訓練已久，如無意外應該不會說出禁語，但 Titan 除了有高階能力「語言力場」外，還有基礎能力「訊息過濾」，在有意識的情況下是絕對不會說出禁語。「應該」對抗「絕對」，單車顯然處於下風，所以我得快點趕回來，施展我們籌備已久的秘技，迫使 Titan「說出」禁語。

逃走之時，我想起手抱着的這位女生叫 Phoebe，單車曾經給我看過他們二人的合照，又不時提起她。他說 Phoebe 在古代神話課堂上態度認真，討論時發言踴躍，內容又精闢獨到。他又稱讚 Phoebe 的性格開朗活潑，衣着又充滿青春氣息，相當可愛動人。

這臭小子平日很少讚人，即使說起 Shirley 時也沒有這麼雀躍。想起來，自從我們把 Shirley 救回來後，由於她受 S 機關保護而無法上課，單車便經常帶書探望她。在過程中，二人雖然有講有笑，但我總覺得他們之間好像有點距離，難道單車仍對 Shirley 欺騙他一事耿耿於懷？抑或是因為 Phoebe 的出現而色心起，移情別戀？哼！那臭小子敢亂來的話，我一定會代 Shirley 閹了他！

# 第二章

強制遊戲

我繼續抱着 Phoebe 逃走。我起初以為，只要我們離開演講廳她就會沒事，因為我跟 Titan 第一次交手時，他領域的半徑只有約五米，離開了演講廳的話，跟他就最少有十數米距離。然而，我一直跑，即使跑回扶手電梯附近，仍未有離開領域的感覺。怎會這樣呢？不過，我沒有停下來的餘地，因為 Phoebe 已無法呼吸好一段時間，繼續下去恐怕會有生命危險。雖然我對她的印象不佳，但不至於見死不救，我只好跑得更快。

我跑到近「火雞」的位置，期待已久的感覺才終於降臨，一陣撥開雲霧的晴朗快感迎向我，空氣中的低氣壓瞬即煙消雲散，而我對手上女子的不悅也好像稍為減退。只是有一點仍讓我相當在意，Titan 竟然能把領域範圍由當日的五米擴展至現在超過數十米，實在驚人！

「冷靜！沒事了，你應該可以正常呼吸。」我提醒 Phoebe，她才驚覺氣道已回復暢通，貪婪地呼吸着新鮮空氣。我把她放在地上，不一會她就恢復過來，可以自行站立。真好！我總算鬆一口氣，剛才還擔心她早已窒息，要跟她急救的話就麻煩了。

既然這邊的事情告一段落，我當然不敢怠慢，打算回去救單車。然而就在這時，新的麻煩卻突然出現阻撓我。

在我面前，一名女子正不懷好意地走近。

3

平日在大學範圍內，人來人往本來是正常不過。然而第六國度闖入校園後，大學已作出廣播，呼籲師生盡快離開校園，所以在「火雞」及大堂一帶，只剩下疏疏落落忙於逃命的人。這名女子卻一臉淡然，向着我慢慢走過來，顯然並非善男信女。

　　女子年約30歲，約1.7米高，略瘦，身穿全黑色套裝，就像那些「上莊」（成為學會幹事）的學生，或者外國人出席喪禮時的裝束。在秋冬之間的香港，天氣仍有點和暖，除非出席特別場合，否則這樣穿未免太誇張了。我看着之時，漸漸覺得她有點面善，原來她就是第六國度的 Dione。

　　Dione 曾經是著名的電視節目主持人，因其英文名字被戲稱為 Done Done 姐（Dione 拿走了 i 字）。她最著名是主持現場遊戲節目，尤其在《六芒星的挑戰》時的毒舌表現，不時有意無意地搶白參加者，更會揭露參加者不為人知的陰私，令最愛看別人出醜的觀眾拍案叫絕。Titan 聘請代筆寫小說一事，也是他參加這個節目時被揭發。

　　不過，我想不通，她身為第六國度的人，為什麼不是如 Titan 一樣穿着黑色長袍？我一邊稍稍向後退來跟她保持距離，一邊假裝輕鬆地問：「Dione，這好像不是你們的標準制服啊？」

　　「真令人興奮啊！」Dione 聽到我說出她的名字後，咧嘴高興地說：「我退出幕前一段時間了，你還記得我呢！」

　　「才數星期而已，怎會不記得你戴安妮的風采？」我客氣地回應，卻沒說出實情是因為她是第六國度的人。由於 Dione 當初並非 S 機關的研究對象，組織對她的特殊能力一無所知，所以我才翻看她的節目，希望能看到什麼端倪，卻一無所獲。

　　由於仍未知道她的能力為何，我繼續跟她保持距離，她進我退，在不知不覺間我已退到 Phoebe 身旁。為了 Phoebe 的安全着想，我只好拖着她的手向後移動。我引開 Dione 的注意，繼續追問：「你還未回答我，你為什麼不穿黑色長袍呢？」

「哦，因為我今日將要面對一位型男，所以要穿得認真一點。我好看嗎？」她興奮地問。

我不直接回答她的提問：「那就是說，你是衝着我而來？」

「那就是說，你自認是型男？」Dione 模仿我的話來反問我。

「哈哈！論口才我果然及不上當過主持人的你呢！」我本想藉閒聊來拖延時間，找出她的破綻，然而我想起單車仍在跟 Titan 作戰，只好拉回話題說：「閒話應到此為止吧，你找我的目的到底是什麼？」

「既然你單刀直入，我也無謂再繞圈子了。遊戲時間正式開始……」我一早覺得 Dione 不懷好意，所以邊退後邊盯緊她的動作。她說到這裏時，雙手突然揚起，這是領域系能力的指定動作，代表她要使用特殊能力。

麻煩了！我跟 Dione 的距離太近，自知來不及避開，但我想起身旁的 Phoebe，她剛才已誤中 Titan 的能力而受苦，我不能再次讓她受傷害，於是雙手向她用力一推，把她猛然推向遠處。不知為何，在這記動作之後，我竟有一點兒的快感。

與此同時，Dione 繼續未完的話：「It's show time！」說罷，我和她就被一個微微粉紅的透明半球體包圍着。

Phoebe 被我推成滾地葫蘆，剛巧跌在半球體外。我之前一直後退，Dione 則以相近速度一直逼近，我以此推斷我們的距離就是 Dione 的領域範圍，因而成功把 Phoebe 推出圈外，總算是不幸中之大幸。

Phoebe 看到眼前詭異的半球體，起初用手拍打着，想把我救出。可是，球體相當堅固，即使 Phoebe 後來脫掉鞋

子用力敲打，仍無法損其分毫。她不安地問：「高健，怎辦？我入不到來。」

Dione 創造出的這個半球體，恐怕就是她的領域，不會輕易被物理形式破壞。我勸 Phoebe：「算了吧，你還是趕快離開，不要回教學大樓，那邊被另一道力量支配着，稍一不慎就會再次窒息。」

「但……」

「我和單車不會有事。我們千辛萬苦救了你出來，你快點回家，不要辜負我們的努力。」

「我……」Phoebe 仍有點猶豫，似乎想對我說什麼。

不過我沒時間跟她繼續糾纏，只好喝道：「不要囉嗦了，快走！」

Phoebe 看我心意已決，只好一臉無奈，往北閘車站的方向逃去。

Phoebe 總算安全，我亦可以專心應付眼前的敵人。我回頭盯着 Dione，她裝出一臉不快的樣子說：「只剩我們二人了，你只能單獨跟我這位年紀較大的姐姐玩遊戲，真可惜啊！」

我焦急地回應：「我沒時間跟你玩，快放我出去，否則休怪我無情！」

「小朋友，請你冷靜，」Dione 冷酷地瞪着我說：「即使你殺了我，這個『遊戲會場』還是不會解除。」

4

「遊戲會場？」我問。

「對，這是由我的特殊能力『遊戲會場』產生的領域，被困在此的人，必須成功完成由我主持的問答遊戲，方能離開。」

「我真的沒時間跟你玩，我要回去救單車呀！」

「哈哈哈！」Dione 冷笑了數聲後，諷刺我說：「難道你到現在還不明白，我的出現就是要把你和單車分開嗎？讓 Titan 單獨對付單車，正是我的責任，雖然我不喜歡那個沒用的『抄襲鬼』⋯⋯」

我終於明白他們的奸計，不忿地怒斥：「你們第六國度好卑鄙！」

「不要怪我，我只是奉命行事而已。話說回來，你不是趕時間嗎？遊戲要快點開始嗎？」

Dione 道出了事實，既然我已被困，而領域看來是不會輕易解除，所以我是肉俎砧板上，即使再不願意，也只好應酬她。我無奈地催促她說：「快！到底要玩什麼遊戲？」

Dione 聽到我回應後，立刻收起嬉皮笑臉，像真正主持着遊戲節目般，開始認真地講解遊戲：「歡迎高先生參加由第六國度主辦的『小學數學問答遊戲』。我是節目的主持人 Dione，首先讓我介紹一下遊戲規則──

「這個遊戲的玩法非常簡單，參加者只需解開三道小學生程度的數學問題，就能重獲自由。由於只是小學的問題，所以為了增加難度，每道問題只有一次答題機會，答錯了的話，就是挑戰失敗，參加者將永遠被困於半球體內。不過，所有問題均不設時限，參加者可以慢慢思考，甚至一直拖延下去啊！」

「我才不會浪費時間拖延下去！說起來，我答錯了就要永遠被困於此，那如果我全部答對了呢？你沒有後果嗎？這樣你不就是完全不會有損失，『無本生利』嗎？」

　　這句話我是跟單車學，他過往處於下風時，不時會出言挑釁對方，消減對方的氣燄，有時候甚至能乘勢找出破綻。我本來只是隨意說說，然而自信的 Dione 聽罷，竟面有難色起來，好像不太想回答。她轉移話題說：「不高興的事還是不要說了⋯⋯高先生，如果沒有其他問題，我們事不宜遲，立刻開始遊戲吧！」

　　在 Dione 的身旁，這時出現了一個若隱若現的屏幕，似乎是供接下來的遊戲使用。我說屏幕若隱若現，是因為它看起來半透明，就像包圍着我們二人的半球體一樣，但摸上去卻有強烈的質感，實在虛實難分。

　　「好的。」我不情願地表示沒問題後，Dione 就為遊戲揭開序幕：「第一道問題！」

　　眼前的半透明屏幕，這時應聲顯示出第一道問題——

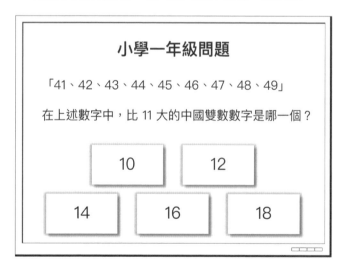

　　「咦？是小學一年級的問題，應該難不到你吧？」Dione 微笑着問。

　　我沒理會她，專心看着眼前的謎題。圖中顯示的數字有九個，分別是 41、42、43、44、45、46、47、48 及

第二章

強制遊戲

49，問當中比 11 大的中國雙數數字是哪一個。答案有五個選擇，順序是 10、12、14、16 及 18。

我看了又看，但無論重複看了多少次，還是覺得這道問題沒頭沒腦。畫面顯示的九個數字，跟答案的五個截然不同，而問題提及中國數字，顯示的卻是阿拉伯數字，這真的是小學一年級的問題嗎？難怪別人常說 TSA⁴ 很難⋯⋯

Dione 看到我一臉疑惑，猜到我對問題毫無頭緒，語帶嘲諷地說：「你看來真的如資料所說，不太擅長解謎呢！」

我瞥了她一眼後，再次無視她。我不明白，這裏根本沒有觀眾，她為什麼要故意搞氣氛，多此一舉向我提出問題呢？難道她當了節目主持太久，已經成為一種習慣？抑或這個遊戲過程會轉播到別處，讓第六國度或其他人收看到？

對於這兩點我並不知道答案，但對另一點我倒是肯定，就是為何這個遊戲是解謎。Dione 認定我不擅長解謎，而她的目的又是要拖延時間，把我和單車盡量分隔開，所以特意設下謎題，以為就能難倒我。

哼，我是絕對不會被她看扁！實際上，我不是不擅長解謎，只是沒單車那麼純熟而已，所以過往都把謎題都留給他。不過，只要我認真思考，我有信心我一定可以離開這裏，尤其眼前的只不過是小學生的問題！而我亦必須抓緊時間回去，協助單車擊敗 Titan！

我昂起首反擊道：「不，你搞錯了，數字謎題是我的強項！」

「哦？是嗎？」Dione 狐疑地說：「你不用故意說晦氣話啊！男人應該坦承面對自己的弱點，才能變得更強。」

「這不是晦氣話，因為我已大致想到解謎方法了。」

4 全港性系統評估（Territory-wide System Assessment，簡稱 TSA）。每年六月舉行，全港所有就讀小三、小六及中三的全日制及半日制學生均須參加評估，以了解全港學生在中英數三科之水平。有意見指 TSA 的問題過於艱深，學生不操練幾乎不可能作答，而操練亦令學生飽受壓力。

「那你說來聽聽？」

我其實仍未想到答案，只好一邊分析一邊說：「首先，問題要求找出比 11 大的雙數數字，如果只簡單按照這個方向來看這九個數字，會有四個答案，包括 42、44、46 及 48。但這樣的話，答案不單太多，而且未能符合問題中的另一個要求：中國數字。」

Dione 不置可否地說：「嗯，很有意思，請你繼續。」

「我於是想，不如嘗試以另一個方法處理這道問題吧。既然問題問的是中國雙數數字，而畫面顯示的是阿拉伯數字，那就先把它們轉換成中國數字，即......」

我嘗試在空氣中寫出我的想法，Dione 看到後，提示我說：「這個屏幕可以書寫的，你只要用手指在上面游走，就能在畫面上寫字。」

「是嗎？謝謝。」說罷，我跟着她的指示嘗試，果真成功在這個屏幕上寫字，真神奇！我把阿拉伯數字 41 至 49 改寫成中國數字，並順序由上至下排列起來——

四十一

四十二

四十三

四十四

四十五

四十六

四十七

四十八

四十九

# 第二章

強
制
遊
戲

「再之後呢？」Dione 臉上的微笑開始消失，只淡淡然地問。

我看到她表情的變化，知道我應該找對了方向，於是沿着此方向思考，不一會就想到答案。我繼續解釋：「我們先集中看第一項『四十一』，表面上跟阿拉伯數字『41』一樣，其實不然，只要把『四十一』中間的『十』看成加號，它就頓時變成了一位加數算式，而『四加一』的答案是『五』。」我接着將原本的「十」字修改成加號，並填上等號及答案──

四＋一＝五

「其他的都照着這樣做……」說罷，我逐一完成其他數式──

四＋二＝六

四＋三＝七

四＋四＝八

四＋五＝九

四＋六＝十

四＋七＝十一

四＋八＝十二

四＋九＝十三

「這樣，答案就呼之欲出了，『比 11 大的中國雙數數字』只有一個，就是『四＋八＝十二』，答案就是『12』了！」

Dione 聽到我充滿自信地說出答案後，臉部立刻繃緊起來，看來沒料到我竟然能順利完成第一道問題。她勉強保持風度，半帶不悅地說：「答案正確……」

「噗」的一聲，頭上緩緩飄下色彩繽紛的彩帶。彩帶顏色紮實，跟半透明的屏幕及半球體迥然不同。我因為順

利解開第一道謎題而有點興奮，高興得舉起手想抓住那些彩帶，大叫一聲「Yeah！」。然而出乎我的意料之外，我正要一把抓着彩帶之時，它們卻穿過我的手飄到地上。在這個領域內，似乎半透明的東西是實體，看似實實在在的卻反而是虛構的影像。

「我沒說錯吧？數字謎題是我的強項。第二道問題快放馬過來！」我被困在 Dione 的領域後首次扳回劣勢，故得勢不饒人，特意趾高氣昂地說，想要進一步挫挫 Dione 的銳氣。

「是嗎？」Dione 噘了噘嘴，不快地反擊：「哼！既然你這麼自信，那接下來第二道問題，就一口氣提升難度吧！小學四年級的問題！」

5

「誒？」我沒料到我的氣燄竟換來報復，頓時吃了一驚。不過我事後回想起來，發覺兩者其實沒有關係，問題她應該是早就準備好。

面前的半透明屏幕這時顯示了第二道問題——

**小學四年級問題**

請利用膠片上的符號，組成一個可被50整除的數字

與此同時，在半球體頂部憑空出現一張膠片，徐徐飄落。我不浪費一分半秒，跳起把膠片抓住，看見透明膠片上印有以下圖案——

我對膠片的特性並不陌生，因為當日我為 S 機關舉辦成員選拔賽時，曾準備過類似的謎題。膠片不是用來蓋在其他東西上，就是要前後左右翻轉來找出正確的閱讀方向。不過，這道謎題更要我利用膠片上的符號，組成一個可被 50 整除的數字，看來並不簡單，難度比我接觸過的同類謎題要高。

我雖然在敵人面前假裝冷靜，盡量不讓 Dione 看到我想不出答案的不安及焦慮，但我拿着膠片久久沒有說話，她就算再蠢也看得出我沒有頭緒。她故意道出我的煩惱說：「不用心急，慢慢看，總會找到答案啊！」

「你放心，我說過數學謎題是難不到我，不消一會我就會想到答案。」我強裝鎮定地回應，說着之時，把膠片翻到另一邊，配合記憶同時想着正反兩面的圖案。

　　看了好一會，我只看到 n、o、u 這三個字母。假如 o 是數字 0，那 n 及 u 是什麼？還是要利用這三個字母組成英文字？

　　呀，UNO！這除了是卡牌遊戲的名字，也是意大利文「一」的意思。不過一不比 50 大，不可能是能被 50 整除的數字。似乎不是我看的方向不正確，就是我想錯了什麼。

　　這樣繼續下去也不是辦法。雖說沒有限時，但單車仍在跟 Titan 對決，時間愈久，禁言量愈多，單車恐怕最終會招架不住。我得想個辦法，來盡快完成這個拖延我們時間的數學問答遊戲。

　　我不得不承認，解謎能力我是及不上單車，但我卻善於觀察別人的反應。我留意到 Dione 是個喜怒形於色的人，例如剛才我逐步推論到正確答案時，她的面容就繃緊起來。於是我靈機一觸，想到與其繼續浪費時間自顧自地解謎，不如嘗試利用這點來多觀察她。

　　我假裝胡亂踱步，其實是找個適合的位置側着身；表面上我仍集中精神盯着眼前的膠片，實際上我卻從這個位置偷

望 Dione 的臉部表情。這是我的強項，因為我平日也經常偷看……說笑而已。我想，如果我一直翻轉膠片，當我翻到正確的方向時，她必定會有異樣。

　　起初 Dione 高興地看着我的窘態，然而當我把膠片轉到某個位置停下來時，我看到她的笑容微微僵硬起來，嘴角亦不期然震動了兩下。訊號來了！這是肌肉因疲倦及身心不協調而產生的顫動，代表她正用力強擠出笑容來掩飾不安。換句話說，我現在手持膠片的方向就是正確。

　　我偷看到這個訊號後，立刻把全副精神集中回膠片上。雖然符號印得有點古怪，但確定這是正確方向後，不可能看

不出這其實分別是數字「5」、「0」、「2」。有了數字，剩下來的就不折不扣是小學生的問題。利用 5、0、2 組成能被 50 整除的數字只有一個！

　　Dione 漸漸笑不出來，她果然無法隱藏內心的情緒。我把膠片翻過來對着她，並逐步走近，而她則跟上題我逐步說出答案時一樣灰頭土臉。我略帶冷嘲的意味微笑起來，指着膠片說：「這三個符號組成能被 50 整除的數字已呼之欲出了？答案就是 250！」

　　這刻的 Dione 僵硬得像石頭一樣，我看她沒有回應，擔心她想藉此拖延時間，遂重複答案來催促她：「喂！答案是 250！250 啊！」

　　在我多次高聲道出答案後，她才稍為回過神來說：「答案正確……」不過，她的專業主持人形象已蕩然無存，喃喃自語地問：「奇怪，我一直盯着你，你不可能找其他人協助，你……怎會解得開這兩道謎題？」

　　「你不要詆毀我好嗎？我沒有找人協助！真麻煩！同一件事不要我說這麼多次好嗎？我就說過，我很擅長數字謎題。」我被懷疑「請槍」，心有不忿地回應，在句末忍不住重複了早前的謊話。

　　「不可能！資料說你不擅長解謎……不可能……」說罷，Dione 把雙手插進褲袋，不再理會我，傻傻的到處踱步。她之前都沒有做過這個動作，不知道是到了此時此刻仍想裝帥，還是沮喪得露出了一直隱藏的小動作。可惜我當時未能察覺到這動作背後的目的，否則就能及時阻止她……

　　我見她走離屏幕範圍，似乎無意繼續主持遊戲，只好不滿地催促她：「你不要拖延時間了，快開始第三道問題！這次我一樣會順利完成，逃出你的領域，而你，則要永遠困在這裏受苦！」

這只是我的意氣說話，我其實不知道我完成遊戲，成功逃出之後，這個領域到底會怎樣。然而她聽到後，竟怒目切齒地望着我，並歇斯底里地大吼：「我是不會輸的！我不會被你困於此！」

我皺着眉回應：「你發什麼瘋！現在是你用能力把我封在這裏，不是我把你困於此。」我把話說完，才想到她會這麼激動，莫非跟「使用限制」有關？

不過，她沒再回應我，再次呆呆滯滯地走到半球體另一邊低吟：「那個 Titan 我早就看不順眼，拖延至此應該夠了吧……」

就在這時，北閘處傳來巨響，似乎是有什麼東西被撞爛了的聲音。我轉頭望去，不久看到一輛跑車高速駛來「火雞」附近，震耳的引擎聲亦同時傳來。

車子雖然不同了，但這一幕我卻不能忘記：當日我差點抓到 Cronus，可惜在 Titan 的阻撓下，被第六國度的另一名成員 Iapetus 大刺刺地接走了。今日，Iapetus 竟再一次坐在跑車的駕駛席，以相同方式來到我面前，我已多少猜到接下來要發生的事。

Dione 這時已站在半球體範圍的邊界，我還未來得及反應，她已揚起雙手說：「我們下次再玩第三題吧！Time out！」一聲號令下，半透明的粉紅色半球體消失了，她立刻向 Iapetus 的跑車飛奔過去。

以跑步速度來說，我有信心會比 Dione 快，於是立刻追上去，不讓她輕易逃去。在沒有特殊能力干擾下，對訓練有素的我來說，第六國度的人其實都是沒用的弱者而已。可是，在我差不多抓到她之際，車上的 Iapetus 卻揚起手大喊：「要命的話就不要過來。」

我不知道他的能力是什麼，但或許仍受數星期前被 Titan 弄得差點窒息而死的陰霾籠罩，我下意識擔心 Iapetus 也有強大的能力，結果被他突如其來的警告嚇倒了，停下腳步，眼睜睜看着 Dione 登上跑車。

望着即將逃去的二人，我不忿地大喝：「Iapetus，又是你壞了我的好事！」

「是嗎？」他毫不在意地說，並淡淡然跟我道別：「再見了，健健。」

Iapetus 與 Dione 乘坐跑車絕塵而去，引擎聲響徹迴旋處一帶，而我則呆呆地定眼看着前方，一時間不懂反應。

我的思緒，頃刻間被 Iapetus 的話完全佔據了。

怎會這樣？

我聽錯了嗎？

他叫我「健健」？

Iapetus 怎會知道我的乳名⋯⋯

知道這名字而仍然在世的，除了單車、凌博士及臭老頭外，應該只剩⋯⋯

「呀！麻煩了！我要救單車！」我不知道發了呆多久，才終於回過神來，驚覺自己有更重要的事情要辦。

雖然 Dione 逃走了，但 Titan 應該還在校園，因為剛才在 Iapetus 的跑車上，我沒有看到其他人。換句話說，單車及 Titan 可能仍在戰鬥中，這樣的話，我要趕快前往增援。

我跑了數步，剛回到大學大堂，進入領域的不安感就瞬即向我再次襲來。我的估計果然沒錯，Titan 的「語言力場」

第二章

強制遊戲

仍然生效。我提醒自己要緊閉嘴巴，不要開口說話，因為戰鬥經過了這麼久，被封的字一定相當之多，只有不說話才是上策。

回去的路上並沒有遇上阻礙，因為校內其他人早已聞風而逃，我輕鬆地趕回演講廳門外，把門推開之時，竟又一次看到令人驚訝的畫面——

單車身負重傷倒在樓梯上，左手掩着自己的嘴巴，右手則被 Titan 扯起。Titan 一臉猙獰，提起腳正要踢向單車的命根子……

# 第三章　親密的陌生人

（本章以Shirley的視點進行）

# 第三章

親密的陌生人

1

「你是怪物。」

我相信有很多不了解我的人，都會對我有這樣的看法吧？

不，其實不知道我經歷過什麼痛苦的人，或許根本無法想像，我體內竟然有四個截然不同的人格。說起來，我自己有時也會覺得不可思議。

我是主人格 Shirley。對於發生在我身上眾多不幸的事，我的父母其實難辭其咎，因為一直以來，他們最在意的就只有他們的生意。我不知道他們當年為什麼要生我出來，只知道在我出世之後，他們就把照顧我的責任推給爺爺。人家說「天下無不是之父母」，對我來說，這句話一點都不準確。

幸好，爺爺跟我的父母相反，他對照顧我一事顯得相當雀躍。可能是因為他早年喪偶，一直獨居無所事事，突然可以弄孫為樂又有所寄託，所以欣然接受這差使。十多年來，多得爺爺悉心照料，又不時向我灌輸正確的價值觀，我才不因沒父母照顧而影響成長。想起來，自我認識單車同學後，我就對他有種特別的感覺，應該是因為我們有相似的背景，大家都缺乏雙親的愛。唯一不同，是他年紀很少就開始自己照顧自己，這正造就出他獨立及善於解決問題的性格吧？

爺爺接受了照顧我的任務後，他似乎感染了小朋友的童真，街坊都說他比以往精神而且有活力，不單性格開朗了不少，連生活圈子也擴闊了，算是「因禍得福」，而我亦在他的關懷下茁壯成長。

我和爺爺二人一直生活愉快，關係融洽。然而好景不常，四年多前，爺爺突然急病病發，我當時正在上學，所以

沒人發現而延誤了送院，情況相當不妙。爺爺是最疼愛我的人，我當然不能袖手旁觀，但醫生說以當時香港的科技，他們也沒法子，只能盡量延續他的壽命。而愛財如命的父母，又不肯花錢送爺爺到外國就醫。我雖然每日都到病房探望昏迷中的爺爺，不時跟他聊天和說笑話，希望帶點正能量給他，激起他的求生意志，不過現實歸現實，這不是電視劇，奇蹟是不會發生。隨着時間過去，我幾乎絕望了，每日回家後都以淚洗面，為最愛的人快要離世卻束手無策而自責及悲慟不已。

就在這個時候，我收到 S 機關的「黑色信封」，邀請我參加他們的成員選拔賽。信中言明，只要我成功通過選拔，成為他們的一員，他們就會為我實現一個願望。雖然事出突然，而且疑點重重，但為了救回爺爺，我沒有猶豫一分半秒，亦沒有擔心自己的安危，便決定參加。

過程中，我遇上拍檔 Alex。他比我年長一點，像大哥哥般照顧及關心我，我們亦合作無間，成功解開路上各種謎題及挑戰。

不過，或許我是個不祥人，命運總是作弄我，原來 Alex 不是真心真意幫助我，他只是為了滿足 S 機關設下的特定條件來實現自己的願望，才會假仁假義接近我。他最終背叛了我，我不單無緣成為 S 機關的一分子，而且在我落敗後不久，爺爺也失救而死。

人生不如意事十常八九，道理是聽得多，但實際經歷的時候，我根本不可能如此抽離及冷靜去面對。爺爺是我的至親、我最疼愛的人，我滿懷希望地參加選拔賽，竟被信任的人背叛而掉進徹底絕望的深淵。我一方面傷心欲絕，對其他人極度不信任，甚至充滿仇恨和敵意，但另一方面，我又不想辜負爺爺的教養及期望，堅持不成為一個惡劣的人。在這種矛盾之下，我「分裂」了另一個人格出來，她就是

Michelle。她把我對其他人的恨意悉數接收，令我的性格不被污染。她也擔當起保護我的使命，從此代替我控制身體及生活下去，而我則保留着原本的純真，一直留在「意識界」內發呆。正所謂「惡有惡報」，背叛我的 Alex 在數個月前得到應有的報應，不過這是後話，而且對單車而言，那是用了他大學室友的性命換回來……

人格 Michelle 的藍本，其實是建基於我對媽媽年輕時的認知。據我了解，在她貪錢成性之前，她是個文武雙全的好學生，除了不懂游泳外，在學業及體育都無懈可擊。她有正義感、善於分析、觀察力強、對人及對小動物都充滿愛心。不過，金錢及權力卻令她腐化得如此不堪，甚至變成不願照顧自己女兒的壞母親。或許我一直渴望得到她的愛，於是我所創造的第一個人格，是以她作為藍本。為了避免 Michelle 重蹈媽媽的覆轍，我在想像出這個人格時作了小修改，把她改成對金錢毫無興趣。當時我沒有意識到，我能想像出人格及修改人格特徵的意義。不過，我沒有修改到媽媽不懂游泳這點，間接導致後來第四個人格的出現……

以上就是第二個人格 Michelle 的由來。

Michelle 出現後，她總是稱讚我純真和開朗活潑，然而我沒告訴她真相：其實都是我強裝出來。雖然她替我承擔了「幕前工作」，我則一直躲在意識界內，但所有發生在面前的事，我同樣清楚看到，甚至 Michelle 接下來替我承受了更多不幸的事，我都一一看在眼裏。如果我不樂觀一點，根本活不下去。

表面總是事事樂觀的人，背後往往都埋藏着許多不幸……

2

　　我不安的心情難以平復，一直在屋內踱步。單車同學今日執意回校上課，到底會否遇到什麼危險呢？雖說有高健同學在附近戒備，但剛才我在這邊收到的訊號實在太奇怪了。

　　所有 S 機關成員發出的特殊通訊訊號，除了會發送予附近的成員外，亦會複製到基地這裏。我剛才留意到，單車同學首先發出發現第六國度成員的訊號，然後高健同學回應；過不了久，就到高健同學發出同樣的訊號，然而單車同學卻沒有回應。

　　從這個次序，我可以推論出兩點：一、單車同學及高健同學是分開行動；二、單車同學那邊似乎出了什麼岔子，以致他無法回應。這兩點加起來，令我不得不擔心單車同學現在的情況。

　　不要誤會，我不是只關心單車同學而忽略高健同學，不過畢竟高健同學加入 S 機關已久，受過專業訓練，較能應付各種危機；而單車跟我一樣只不過是「臨危受命」，加入 S 機關才數星期，還未適合參與前線行動，如果他真的遇上了第六國度的人，那就會很危險。

　　凌博士似乎看出了我的不安，安撫我說：「Shirley，沒事的，單車雖然未跟第六國度的人交過手，但高健一定會盡力保護他，不會讓他有事。」

　　我回應：「我不是不相信高健同學。我知道，他緊張單車同學多於自己，在其他平行宇宙中，他甚至為了單車同學而犧牲自己，只不過……」

　　「只不過你仍很擔心單車嘛，我明白，畢竟你和他……既然你這麼緊張單車，不如『撥個輪』給他吧？」

「勃？勃個……什麼！」凌博士突如其來的話令我吃了一驚，她一定誤會了什麼，我緊張得口吃着澄清：「凌博士！你誤會了，我跟單車同學只是好朋友，我是不會勃他的……」

「哈哈！」凌博士聽到我的回應，知道我想錯了什麼，連忙打斷我的話解釋：「誤會了的是你。我叫你『撥個輪給他』，是叫你打電話給單車。在很多年前，我們還是使用撥號式的電話，要轉動撥號盤才能打電話，於是引申出『撥個輪』的說法。

撥號式電話又名脈衝式電話，我們撥打號碼時，需要將撥號盤轉到指定位置後放手，撥號盤會因彈簧的拉力而慢慢回到原位，在這個過程中就會產生長短不一的撥號脈衝，代表着所撥打號碼的不同數字。至於產生脈衝訊號的原理，其實非常簡單，就是藉打開及閉合電流迴路從而……」

凌博士一口氣解釋着撥號電話的原理，看來又要長篇大論了！自從我認識凌博士後，我才明白單車同學對科學的狂熱及短話長說的性格，原來是遺傳自伯母。比起單車同學，凌博士的科學知識更豐富，令她更「長氣」，我因此學會了虛應及假裝聆聽的技巧……

凌博士仍在解釋：「香港的緊急求助電話是『999』，就是因應撥號式電話的設計而加快撥號速度。不過，由於撥號式電話有容易打錯號碼的缺點，後來逐步被音頻式電話取代，也就是現在我們所用的電話制式。音頻式電話的原理跟撥號式電話非常不同，主要利用……」

「叮噹！」門鈴聲響起，這簡直是我的救星，我借機逃走說：「呀！我去看看是否單車同學回來。」

「喂！Shirley 你不記得嗎？這裏會有專人負責應門啊……」

我當然記得，但沒理會凌博士，拔足向大門跑去。雖然我自知無法擺脫她，因為她也是我體內的人格之一，但我故意分了神，她亦沒興致繼續解釋電話的原理，我的奸計算是成功了。

我走到大門等候，以為真的是單車同學及高健同學回來，但看到的卻只是小勳，看來他那邊的行動已經完成。

「噢，看來你要繼續當望夫石了。」凌博士打趣地跟我說，然而我還未看到單車同學，實在笑不出來。不過，我不想讓小勳擔心，只好勉強擠出一個笑容，問：「你那邊沒什麼事吧？」

小勳今年只有 15 歲，比我和單車同學還要年輕三年，是 S 機關現時年紀最小的成員。他跟我和單車同學都是在數星期前才加入 S 機關。

在小勳還是小孩子時，父母就先後離世，剩下姐姐大芬跟他二人相依為命。多年來，姐姐身兼父母職，總算養大小勳。不過，早前大芬跟單車同學及高健同學一同掉進「白色異境」時，她沒單車同學及高健同學那麼幸運，逃出失敗，事後被 Cronus 抓住並引誘加入了第六國度，改名為 Rhea，成為我們的敵人。

正所謂「正邪不兩立」，小勳是 Rhea 的親人，而且正因她對小勳疼愛有加，事事為他着想，才會被騙加入第六國度，所以我們最初擔心當 S 機關要對付 Rhea 時，小勳會成為絆腳石阻礙我們。不過，他向 S 機關清楚表明志向，他會先嘗試說服姐姐改邪歸正，不果的話就會大義滅親，絕不會有半點猶豫。他年紀小小就有如此決心，我不知道是否應該高興。大義滅親這回事，單車同學也曾經做過，但最終只不過是間接傷害了高健同學……

第
三
章

親密的陌生人

「我們沒什麼事，還成功殺了 Mimas，」小勳回應我說：「不過街上的情況非常混亂，似乎距離最壞的情況已不遠矣。」

凌博士聽到小勳殺了第六國度的核心成員之一 Mimas，並沒有感到高興，反而緊張得跳出來，搶奪了我肉體的控制權，不斷高呼：「你殺了人？你殺了人？」

小勳顯然不明白凌博士為何如此激動，呆了半晌才一臉疑惑地解釋：「不，Mimas 不是我親手殺，雖然也是在我的協助下，間接令其他成員有機會出手⋯⋯」

小勳沒有直白地說出他是如何協助其他成員，但凌博士看他欲言又止，已猜到手法。她不禁提高聲量追問：「你又用了你的能力？」

「嗯，不過我只用了一會⋯⋯」

小勳的話還未說完，凌博士再一次打斷他，她衝上前抓住了小勳的手，翻來翻去仔細研究，喃喃地說：「果然是這樣啊⋯⋯」

小勳面有難色地回應：「凌博士⋯⋯」

凌博士似乎從小勳的雙手觀察到異常，激動地大喝：「小勳，你曾答應過我，不能亂用能力，你怎麼又用了？」

小勳皺緊眉頭地說：「我明白，不過當時的情況⋯⋯」

「不行，你是我們對付 Rhea 的唯一方法啊！」

「凌博士⋯⋯」

「你聽我說，為了我們好，為了你自己也好，你不能再用能力啊！再亂用你會死！」

「我知道了，但……但你可以先放手嗎？我的手很痛……」

「啊！對不起！」我終於明白小勳為何突然緊皺眉頭，原來是凌博士抓得他太緊。她道歉說：「對不起，我忘記了你的身體比以往變得更幼嫩，對你太用力了。」

「不要緊，你只是擔心我嘛。」小勳沒有不高興，反而燦爛地笑着回應。

凌博士也報以微笑，然後她想了想，不能低估事情的嚴重性，於是拿起通訊裝置對着說：「研究部，我是凌博士，請你們帶小勳去做詳細檢查，特別是計算一下他現在的骨骼及肌肉年齡，謝謝。」

她緊接向小勳解釋：「要麻煩一下你了。我想評估一下，你剛才使用能力後對你造成的影響，順道估計剩餘可用的時間，可以嗎？」

「沒問題啊！」小勳仍一臉稚氣地咧嘴而笑，對事情好像沒有太在意，然後就轉身自行走向研究部。

小勳加入我們後，時刻都開朗活潑，一點都不像經歷過早年喪親及剛剛失去姐姐的痛苦。不過，在我眼中看來並非如此，正因為我跟他都經歷過很多的不幸，我才會明白，他是在強裝堅強……

3

我繼續在基地內等候，終於等到單車同學及高健同學回來，可惜最先聽到的並非尋常的門鈴，而是要求支援的廣播。基地內的廣播系統發出訊息：「高健要求急救部支援，請急救部立刻準備急救室，並派員到大門準備接應。重複，高健要求……」

　　我聽到廣播後，一時間不懂反應，意識界內的 Michelle 和凌博士也顯得很震驚。要求支援的人是高健同學，如果他身受重傷，作出要求的人就應該不是他，換句話說，要急救的人並非他自己，而是單車同學！

　　「單車同學受了重傷！」我一得到這個結論，就緊張得大叫起來，二話不說跑向大門。

　　這時已有一班人聚在大門處，除了有急救部的成員在忙，也有行動部的成員在戒備。我走上前去，看到高健同學背着奄奄一息的單車同學。急救部接收單車同學到擔架牀上後，便迅速地往急救室的方向走去。

　　這一刻，我雙眼通紅，淚水早已在眼眶內凝聚，但我沒有哭出來，因為在這關鍵時刻，我要更加堅強，而且 S 機關以擁有全球最先進的醫療科技自居，只要單車沒有死，就一定能救回來。

　　不過，此刻的我仍難掩內心的激動，待大部分人散去後，我控制不了自己，憤怒得用力打了高健同學一巴掌，破口大罵：「高健！怎會這樣？單車同學為什麼會傷成這個樣子？你不是說過會保護他嗎？」

　　高健同學慚愧地低下頭來回應：「對不起，是我不好，是我保護不力才會這樣……」

　　我看到單車同學的慘況後，幾乎失去常性，凌博士及 Michelle 擔心我會對高健同學不利，於是合力把我拉回意識界，並由凌博士代我控制肉體。作為單車同學的母親，凌博士當然也緊張單車同學的安危，但她明白激動也無濟於事，而且高健同學看來亦很疲累，他應該已盡了最大的努力。她溫柔地說：「高健，你也辛苦了，大家平安回來就好。對不起，Shirley 太緊張單車，才會突然出手打你，不痛吧？」

「不，比起單車所承受的，這實在太微不足道。」高健同學說着之時一臉無奈。

凌博士建議：「我們不要站在這裏說話吧，不如先到大廳休息一下，你再告訴我們到底發生了什麼事，好嗎？」

4

我們「一行人」於是回到大廳。雖然單車同學被送往急救室已數分鐘，但我依然未能平復心情。我未待眾人坐好，就想搶回身體追問事情的原委，卻被凌博士阻止了。她勸我稍作休息，在意識界內聽着就好。我明白她只是為我好，怕我太過激動，遂照她的意思去做。

我們安坐好後，高健同學主動開腔解釋：「對不起，的確是我保護不周，才會令單車差點喪命……」

凌博士追問：「你不用太自責，你一定是遇到什麼困難吧？到底發生了什麼事呢？」

「是這樣的，單車遇上了 Titan，我卻被 Dione 引開了……」高健開始說明中間發生了的事情。

聽着聽着，我開始覺得我實在太衝動，剛才錯打了他。單車同學的傷不能算是高健同學的錯，他雖然被 Dione 引開了，但已盡力應付，只是沒料到在另一邊廂的單車同學情況會急轉直下。

「Dione 逃走後，Titan 那邊怎樣呢？單車戰勝了 Titan，然後你救單車回來？」凌博士問。

「不，Titan……是我殺的……」高健淡淡然地說。

這一刻，我再次受驚而怔住了。雖然我們已正式和第六國度宣戰，就有心理準備要互相殺戮，但實際發生之

時，我還是多少感到震撼。小勳殺了 Mimas，高健同學殺了 Titan，在一日之內，兩個原本心地善良的人，都一一變成殺人兇手。我實在想像不到，他們當刻的心情是怎樣。無奈？恐懼？抑或痛快？

突然間，我覺得在基地內人都變得很陌生。曾經充滿正義感、開朗活潑的高健同學，今日竟殺了人。我盯着他時，看到的彷彿是雙手沾滿血腥，視人命如草芥的屠夫。我不敢站在道德高地，說殺人就一定是錯，畢竟是第六國度的人作惡在先，但我更無法想像，為什麼他們能把自己殺了人的事說得如此稀鬆平常。話雖如此，其實我的手也不見得比他們乾淨，畢竟凌博士正在指揮一切的行動……

「Titan 是怎樣被殺？」凌博士追問。

「嚴格來說，Titan 其實是被自己的『語言力場』殺死。」高健稍頓一下，才繼續補充：「我離開演講廳到趕回來的一段時間，我並不知道中間到底發生了什麼事，要等單車醒來問他。不過，我回到演講廳時，Titan 已把單車打到半死，當時他更提起腳，想要用力踢向單車的要害。」

「噢！他瘋了嗎？」凌博士緊張得掩着口問。

「我估計，Titan 當時已封印了大量禁語，加上單車被 Titan 擊倒，無法逃走，因此被一直折磨。當時單車狀甚痛苦地用手掩口，不讓自己發出聲音，似乎就是怕叫喊時會吐出禁語。」

「之後呢？」

「我見形勢緊急，立刻以最快速度直奔向 Titan，剛好在他踢中單車前把他撞飛。我站在單車身旁，看到他渾身是傷，一時間怒火沖天。換着平日，我一定已破口大罵發洩，但我當時知道自己身處『語言力場』內，不敢亂說話，我於是

把我的怒火全都發洩在 Titan 身上。我追上去，他跑不過我，我抓住他一直打，一直打⋯⋯」

剛才高健同學說過，Titan 是被自己的能力殺死，凌博士聽到這裏已猜到結果：「然後 Titan 不小心說出了禁語？」

「嗯，他按耐不住，因身體反射動作吐出了一些音節，然後我就看到他中了自己的『語言力場』。單車當時還是清醒，他看到 Titan 痛苦地握着喉嚨，便用手指着 Titan，不斷發出『唔唔』的聲音，似乎是想我去救他，不過⋯⋯」

「不過沒有人能救到 Titan。」凌博士緊接高健同學的話說：「他的能力雖然強大，但也很危險，因為萬一自己中了『語言力場』，是絕無解救辦法。領域以 Titan 自身作圓心，而他又無法說出解除口令，只有死路一條。」

「嗯。唉⋯⋯」高健似乎已把要說的話說完，用力地嘆了一口氣。

凌博士亦只能報以苦笑，稍頓片刻，說：「今日在小勳那邊，Mimas 也被殺了。」

「是嗎？」高健同學稍稍回復精神地分析：「第六國度由首領 Cronus 及 62 名成員組成，當中七人屬核心成員。在上星期，我們成功擊殺了 Enceladus，今個星期又消滅了 Mimas 及 Titan，這代表第六國度的核心成員只剩下四人。」

「嗯，應該只剩 Iapetus、Rhea、Dione 及 Tethys，而普通成員我猜也剩下不到 40 個。不過，有關戰略的事，我們待單車康復才再商討吧。對了，研究部的人員⋯⋯」

凌博士接下來繼續跟高健同學沒完沒了地談論着 S 機關其他的事務，我則一句話都沒有說。雖然我住在這基地已

# 第三章

親密的陌生人

久，並非沒有看過凌博士跟其他人談話，唯獨今日我有一種難以名狀的奇怪感覺，覺得眼前的人都很陌生。

其實不只是眼前二人，我對我自己，以及這個社會，都開始感到疏離。曾經相當熟悉的人和事，竟帶來一陣違和的陌生感覺，到底是什麼原因呢？

除此以外，我千辛萬苦逃出 Cronus 的魔掌，卻仍然不能簡簡單單地跟單車同學好好生活，也是我難以理解。

一切，皆因第六國度而起。

如果可以的話，我真想把一切推倒重來，回到天藍水清、和平安穩的日子，過着正常人的生活。

「當然，這個世界並沒有如果。」這是單車同學的口頭禪，總是在任何情況下都適用，也總是太過殘酷。

而更殘酷的事，竟在這之後接踵而來……

# 第四章　陌生的伙伴

（本章以單車的視點進行）

# 第四章

陌生的伙伴

1.

在某節古代神話課堂上，教授派了工作紙給我們，希望我們分組完成。過程中，我們不准上網或使用參考書，只能憑各人的記憶，討論出我們認為最接近的答案。

我的組別很快就做完。說起來並不公平，因為我有「永久記憶」，工作紙上不少問題的答案我都看過，自然能輕鬆完成。

我之所以會在三年前覺醒了「永久記憶」的能力，全因為 S 機關策劃的潛能覺醒計劃。他們的目標，是在我學會基礎能力「永久記憶」後，進而覺醒高階能力「平行宇宙記憶」，然後藉着這個能力，讀取身處其他平行宇宙單車的記憶，間接預知我們未來發生的事，從而避過人類因環境污染而滅亡的厄運。

不過，之後發生了難以用三言兩語解釋的事情，我沒有覺醒到「平行宇宙記憶」。而且因着當時發生在我面前的悲劇，我的潛意識產生了抗拒反應。及後無論怎樣，甚至在覺醒特殊能力的形態形成場確立後，我還是無法超越界限，結果我的能力就止於實用性有點微妙的「永久記憶」。

工作紙已經完成，在這閒着無聊之際，我好奇地聽着鄰組的討論——

「『他看到_____的視線，就變成石像。』空白位置應該是一個神祇或妖怪的名字吧？」

「看到什麼的『視線』會變石像？不是聽過杜麗莎的歌聲才會嗎？」

「喂，你這個笑話也太冷了吧，正經一點不好嗎？」

「我是認真的啊。那你說，答案到底是什麼？」

「呀！是杜莎夫人！」

「好像是，所以才有杜莎夫人蠟像館，被石化的人統統都成了蠟像館的一員啊！」

我聽得哭笑不得，不明白為什麼他們會把古代神話拉到現實世界的蠟像館呢？

在這「混戰」之後，終於出現正確的答案。組內的一名少女充滿自信地說：「答案是美杜莎啊！」

「美杜莎是誰啊？是杜麗莎或杜莎夫人的親戚？抑或是發明美沙酮的人？」

少女回應：「不是！美杜莎就是美杜莎，是在希臘神話中，擁有雙翼的蛇髮女妖。」

「哦，但如果答案是美杜莎，那麼杜莎夫人蠟像館又是怎來的？抑或其實是杜麗莎夫人蠟像館？」

我在背後鼓起雙腮拚命忍笑，少女似乎看到了，向我翻了一下白眼，表示對組員的無奈。在這節課堂後，我認識了這名少女，她就是 Phoebe。

後來，經教授解釋，我才明白該節討論的用意。原來對同一件事，因着眾人不同的背景及知識，會產生出不同的理解。所以，不同的文化有不同的神話，而即使是相同的神祇，神話的內容亦會有所分別。

說起來，在現實中，即使對同一件事，在不同的人口中也會有不同的詮釋呢！

2

（星期二中午，S 機關基地）

我睜開眼之時，看到的是陌生的、純白色的天花板，這裏顯然不是我家，也不是科大的演講廳。我低頭望一望自己，身上已換上了白色的病人服，看來我得救了，現時應該身處在 S 機關基地內的病房。這樣說來，我跟 Titan 一戰終於完結了，而我剛才應該是夢到早前古代神話的課，以及我認識 Phoebe 的經過。

對！Phoebe！她到底怎樣呢？高健把她送走後久久沒有回來，她現在是否安全呢？

不，想真一點，在我昏倒過去前，高健就已經趕回來，在 Titan 正要踢向我之際，他疾衝把 Titan 撞飛到遠處。

然而在這之後的事，我簡直不想記起！

高健看到我被 Titan 打成那樣子，怒火中燒，他輕撫我的頭髮數下來安慰我後，立刻朝 Titan 衝過去。Titan 看到高健目露凶光，深感不妙，一邊拔足逃跑，一邊重複叫着「勿來」（當時「不」字已被封）。我不肯定 Titan 是想引高健說話，還是真心害怕，但結果都無功而還，高健很快就抓住他，開始不斷痛毆。

我看到高健簡直變成魔鬼一樣毫無人性，擔心他會活活打死 Titan，於是用盡剩餘的力氣大叫「唔唔」，期望能引起高健的注意。可是，高健瞥了我一眼後，便再次望向 Titan，這時他變得更凶殘，在腰間拔出求生小刀，用力刺向 Titan 的腹部。

Titan 被刺傷後面容扭曲，痛苦地掙扎。在這之後，高健仍未有停手的意圖，竟把小刀抽出，然後重複刺向 Titan 身體的不同位置。面前的畫面太過血腥，我實在看不下

去，Titan 終於因為受傷引致抽搐，身體不受控地吐出了禁語「啊」，而我亦在那時昏倒過去。

現在回想起來，我仍猶有餘悸。高健怎麼會變得如此凶殘暴力呢？是因為要為我報被毒打之仇嗎？但即使要殺死 Titan，也沒有必要那麼殘忍啊！雖然 Titan 最終是因為說了禁語而窒息，但事實上即使他控制得住沒有慘叫，最終還是會因傷重或失血過多而死。

不，高健不是這樣！我認識了他十多年，知道他絕不是這樣的人。他開朗、正直、善良，一定有什麼苦衷，才要用刀不斷刺向 Titan。一定是這樣！一定是這樣！

就在我思考着高健為何會如此麻木不仁之時，我發現有一個黑影出現在房門的磨沙玻璃後，準備走進房間！

我看到後吃了一驚，然而還未來得及反應之時，黑影就已推開門。我的身子猛烈一震，當我看到這個人的真面目後，更下意識地大叫：「呀！殺……」

我差點就不小心吐出「殺人兇手」一詞，幸而我昏睡太久，喉嚨有點乾涸，一時間無法順利說下去。

高健見我已清醒，於是便走進來。還好，在他的身後還有 Shirley 及小勳，我才放心一點……我在發什麼瘋呢？高健是不會傷害我！我到底在擔心什麼？

「怎麼了？」高健看到我一臉驚恐的樣子，問：「你剛發噩夢嗎？」

「不，是被你嚇倒了……」我或許真是睡得太久，腦筋還未靈活，竟說出了真話。

高健不以為意地問：「我？我怎會嚇倒你？」

# 第四章

陌生的伙伴

「因為......」想了想，我勉強想到個藉口胡混過去：「因為你沒敲門就進來啊！」

「我有啊！Shirley 及小勳可以做證。」高健說罷，身旁的 Shirley 及小勳點點頭表示同意。

「是嗎？抱歉......」

我以為我已成功轉移話題，沒料到高健仍對我剛才的話念念不忘，他追問：「對了，你剛才想說什麼？我好像聽到個『殺』字，是什麼意思呢？」

當刻，一陣強烈的恐懼感貫徹全身，冷汗亦無聲無息地在我的背部流過，令我倍添寒意。只不過是我的一句無心話，他為什麼要如此在意呢？莫非他在我面前只是一直假裝善良，所以當他發現我察覺了他凶殘的一面後，要殺人滅口？

不會！一定是我想多了。不過，我想了想，他並不是第一次在我面前露出凶殘的一面，在「白色異境」內，他被洗腦後也差點殺了我，但兩者不能相提並論，那時他是受人控制......

「喂！」高健呼喊我，同時把食指及中指合攏，向空中一刺：「如果你不是有傷在身，你應該已受到教訓。」我明白他的意思，過往我在他面前發呆，他都會這樣向我的腰間一刺，讓我「精神一振」。然而這刻，我不單感受不到他平日作弄我時的輕鬆氣氛，我甚至有種錯覺，把他的手指看成刺向 Titan 的小刀......

「沒......沒什麼，」我口吃着回應：「我想說的......是『殺必死』。」

一直在旁的 Shirley，側側頭不解地問：「『殺必死』是什麼呢？」

　　「那是日文『サービス』的音譯，」小勳代為解釋:「即『福利』或『優待』，常見於動漫作品中，意指提供一些令觀眾或讀者很高興的畫面，例如女主角穿着性感泳衣又或者走光。」

　　「哦……誒?我走光嗎?」Shirley 緊張得立刻掩着雙腳，擔心真的春光乍洩。

　　「不，我說的是高健你。」我連忙解釋，順道再次引開話題:「話說回來，怎麼最近男孩子穿的短褲好像愈來愈短，快要短得能跟女孩的熱褲一拚高下。」

　　「能顯得雙腳更加修長嘛……喂!你瘋了嗎?怎麼會留意我的腳!」

　　「那你又怎麼會臉紅?」

　　「我沒有臉紅!你一定是被 Titan 踢壞腦了!胡說八道!」

　　我和高健互相搶白，令 Shirley 及小勳哄笑起來，我總算有驚無險地把話題引開去了。

　　不過，回想起來，其實我為什麼要這麼費神去引開話題呢?難道我真的以為高健是凶殘的人嗎?我怎麼會這樣想他呢?

　　我跟他是十多年的好友，這回卻是我首次對他有陌生的感覺。

　　之後我們四人繼續閒聊。原來我重傷昏迷後，已經睡了三天。S 機關替我急救過後，已無大礙，多休息一兩天就應該會康復。不過，此刻的我尚未知道，在這三日之間，外面的世界已變得難以想像……

# 第五章　無可挽救的局面

（本章以單車的視點進行）

# 第五章

無可挽救的局面

1.

（星期三上午九時多，Ｓ機關基地）

我睡醒之時，自覺身體已回復正常，打算起牀回校上課。

我很少過來基地，不太熟悉這邊的環境，加上又身穿病人服，自然不能就此上學去。梳洗過後，我只好在基地內四處亂晃，期望碰到熟人或其他成員「求救」，看看有沒有衣服供借用。

我在走廊上到處亂踱了一會，便幸運地遇到小勳。他高興地走上來迎接我道：「單車你沒事了？那我帶你去你的個人房間吧。」

「我的個人房間？」我不太明白他的用意，不過這個建議似乎不錯，回應道：「也好，我要先換套衣服才能上課。」

「上課？」小勳呆了半晌，才驚覺我因為在關鍵時間昏睡了，已跟世界脫節：「呀，你還未知道啊！」

「知道什麼？」

「政府已宣布無限期停課，成年人實際上也無法上班了。」

「什麼！開玩笑也太誇張了吧？」我驚訝地說。那我不就再見不到 Phoebe 嗎？

小勳一臉凝重地回應：「我不是開玩笑啊！而且並不誇張……你過去看看就會明白。」

我跟着小勳走，來到基地的大廳。雖說是大廳，但這個地方畢竟是以辦公為主要用途，並沒有太高雅的裝潢及擺設。天花裝着明亮的白光管，大廳中央放置了簡約的布沙發及木製小茶几，面前純白色的組合櫃也只放了一台電視及少量裝飾。

電視這時正播放着新聞報道，高健、Shirley 以及數名 Ｓ機關的成員早已到達，坐在沙發上聚精會神地看着。高健及 Shirley 留意到我和小勳，不過似乎不想影響到其他人觀看

新聞，所以只對我們簡單地點點頭，而我亦和 Shirley 交換了一個微笑。

我於是跟他們一起看着，新聞報道的畫面分成兩格，在左上方較大的一格，顯示着發生在今晨街上的片段，而右下角較小的一格，則播放着街上的實況。

我目瞪口呆地看着，而且愈看得久，心情就變得愈沉重，亦逐漸明白為何小勳說無限期停課停工並不誇張。因為無論是在哪一格畫面，我看到的盡是一片混亂及頹垣敗瓦，不明的爆炸聲、玻璃碎裂聲、建築物倒塌聲等，此起彼落。街上的死者比生還者還要多，偶有一兩個僥倖活着的人出現，都無不帶着絕望的眼神，失去理智般驚呼狂奔。除了「人間煉獄」外，我實在想不到更適合的詞語去形容眼前的境況。

街上如地獄般的氣氛，跟基地這邊的平和相比，反差之大，實在令我自慚形穢。我等不及新聞報道完結，就急不及待輕聲問坐在旁的 Shirley：「到底發生了什麼事？怎會變成這樣？」

Shirley 在我耳邊回應：「你仔細看下一個鏡頭，就會明白。」

我集中精神回看電視，看到的依然是可怕的場景，但與此同時，我發現了兩個熟悉的身影正在大肆破壞──Iapetus 及 Rhea！

當刻，我難掩驚訝的心情大叫：「第六國度！」

「嗯……」

我追問：「他們不是只有星期六才會出動嗎？」

Shirley 似乎已看過這段新聞報道不只一次，多少清楚外間正在發生的事。她也想必明白，不回答我的問題我是不會罷休，只會騷擾到其他人，於是把我和小勳拉到飯廳，再作解釋。

## 第五章
無可挽救的局面

2

甫退到一旁，我已急不及待想重提剛才的問題。Shirley猜到我的心意，搶先一步回答：「第六國度在過去的三個星期，的確只在星期六出動，因為星期六是他們的聖日，這點你明白吧？」

「嗯，但今日是星期三，為什麼他們也四出作惡呢？」我追問。

「因為『土星逆行』開始了。」

小勳這時插嘴問：「我昨日聽你說時忘了問，到底什麼是土星逆行呢？」

科學問題屬我的專長，因此由我代 Shirley 回答：「土星逆行是個天文現象，實際上並非如字面所說，土星真的倒轉運行，只是我們在地球上觀察其他行星時的錯覺。由於各行星的公轉週期不同，地球與其他行星的相對位置會有分別，所以其他行星有些時候看起來就像逆行一樣。唔……只用口頭解說或許難以理解，不如我畫圖協助說明吧。」

飯桌上剛好有紙和筆，我於是利用它們畫了一幅簡單的示意圖——

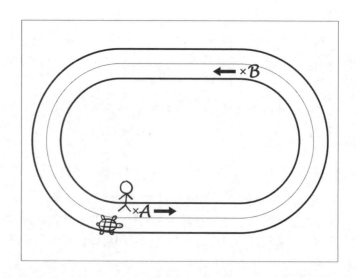

「試想像你跟一隻走得很慢的烏龜，在 400 米田徑場上繞圈跑。槍聲響起，你和烏龜一起出發，你在 A 點時會看到烏龜跟你以相同方向向前走；當你跑了超過 200 米後，到達跑道的另一邊 B 點時，烏龜仍在起點不遠處向前走，但從你的角度來看，烏龜這時卻是以跟你相反的方向前進；直到你回到烏龜那邊的 A 點，你才看到牠『回復正常』。

地球和其他行星的情況正是差不多。地球比土星公轉得快，所以有些時候我們會看到土星好像在倒轉走的現象，這正是土星逆行。土星逆行現象約一年出現一次，每次為期約四個半月。

在科學層面上，逆行其實沒有什麼特別，而且出現得相當有規律，但古時人們的科學及天文知識有限，會把逆行視之為異象、凶兆或改變。土星代表責任、組織和體制，土星逆行因此被視為社會規範、體制及權威會有改變的先兆。」

小勳點點頭表示明白，Shirley 就緊接着繼續解釋：「第六國度一向進行土星崇拜，視土星為他們的象徵。領袖以 Cronus（克洛諾斯）為名，其實即是羅馬神話中的 Saturn（撒頓），亦即是土星。第六國度的七名核心成員的代號，分別為 Iapetus、Rhea、Titan、Dione、Tethys、Mimas 及 Enceladus，一方面這些都是古代神話中的神祇名字，另一方面也是圍繞着土星運行幾個較大衛星的名字。」

Shirley 補充後，事情的來龍去脈我總算清楚了：「所以當土星逆行開始後，他們就不只在他們的聖日星期六來作惡了。真無聊啊，竟然這麼迷信……」說到這裏，我回想起重點，於是再追問：「咦？那土星逆行是什麼時候開始呢？」

「就是在剛過去的星期一清晨。」Shirley 有點不好意思地說。

## 第五章

無可挽救的局面

我怔了一下，這不就是已過了兩天嗎？想到事情的嚴重性，我緊張得半帶質問的語氣說：「即是我清醒過來的前一日嗎？為什麼你們去探望我時不告訴我呢？」

高健這時走了過來，他聽得出我有點不高興，便代 Shirley 解釋：「單車，我們不是不想告訴你，不過，我們一方面不想影響你休息，而另一方面，告訴你其實也沒什麼幫助。」

我以為高健是看扁我，有點晦氣地回應：「哦，也對，我的能力只有『永久記憶』，的確沒什麼幫助。」

「不，我不是這個意思。」高健對我聳聳肩說：「不只是你，你看，我們不少成員都聚在大廳，未有行動。」

我剛才沒有為意，經他一說才發現這點。我暫時拋開不快，繼續問：「這就奇怪了，既然外面已經這麼混亂，為什麼我們乾坐著而不採取行動呢？我不明白，過往第六國度的人一出現，我們就會採取主動，阻止他們生事⋯⋯」說到這裏，我感到有點不安而說不下去，因為我們所謂的「阻止」，到頭來其實只是殺掉他們，Enceladus、Mimas 及 Titan 三人已在這數星期內先後被殺。

「單車，一切已經太遲了。」我從聲線聽出，回答我的是媽媽凌博士，Shirley 的肉體暫時由她控制，她親自向我說明：「我們過往一直主動對付第六國度，原意是要阻止他們引發大規模的騷動，避免間接令更多市民隨意使用特殊能力，令社會失去秩序。」

「這點我當然明白，所以他們每次四出破壞，我們就立刻出擊對付他們。那現在為什麼我們什麼都不做呢？」我站起來激動地追問。

「單車，你先冷靜下來。」媽媽耐心地回應：「這個方法在早前似乎仍有效，但實際上，覺醒潛在能力的形態形成場早已確立，市民暗地裏已學會各種稀奇古怪的技能，只因社會規範及自身的恐懼才沒有公開使用。可是，在過去數星期及最近一連多日的襲擊中，市民已管不了這麼多，為了保命而扭盡六壬。部分人的行動被其他人看到，有的更為媒體所報道，這逐漸形成新一波的群聚效應，不斷擴散開去。現在，市民已視使用特殊能力為等閒了。」

媽媽的話，令我想起當日我在演講廳受 Titan 襲擊前，學生們慌忙利用能力逃生的情境，而剛才在新聞報道中，我也看到市民利用特殊能力逃命，然而新聞報道員沒有特意提及，似乎使用特殊能力這件事的確已被大眾視為平常。

在我們討論之際，電視這時傳來一節特別新聞。我在遠處眺望，看到標題是「暴民包圍禮賓府」。畫面所見，一大班看似尋常的市民圍堵該建築物，但他們的舉止卻一點也不尋常。後排的雖然只是在支援及吶喊，前排的卻像那些超級英雄電影內的角色般，用盡各種超能力破壞，噴火、吹雪、放電、隔空取物等，想像得到和想像不到的招式都有。

在場的警察自然招架不住，即使開槍駁火，子彈都被無形的護罩擋下。他們節節敗退，最終決定撤退，在離去之時，甚至連警察也顧不得面子，利用特殊能力協助逃命，情況可謂完全失控。

「你看，」媽媽也看到這段新聞，補充說：「街上的暴徒，由最初只有第六國度的成員，慢慢發展成包括一般市民。他們平日受盡政權及有錢人的壓榨，問題一直得不到重視，現在終於爆發了，誓要推倒固有權力架構。其他國家其實也有相似的情況，事情已經不是我們控制得到了。」

# 第五章

無可挽救的局面

高健把手機遞到我面前，播放其他國家的新聞給我看，情況之惡劣果然跟香港不遑多讓。

「那……」一時間，我不知如何是好，提出了重複的問題：「不能跟處理第六國度的方法一樣，阻止其他人繼續作惡嗎？」

這幾天，高健作為 S 機關的重要成員之一，相信受了不少壓力，也考慮過不少解決方法。他聽到我這白痴問題，似乎觸動了神經，有點不耐煩地反問：「你的意思，是要把所有市民都殺光嗎？」

我聽到高健說出「殺光」一詞時，不禁倒抽一口涼氣，我不只是為情況失控而擔憂，也是因為聯想起高健當日殘殺 Titan 時的情況。難道高健真的變了？是受環境影響？為勢所迫？抑或他體內的魔鬼蘇醒了？

媽媽見氣氛有異，把話題拉回事情上說：「其實，當覺醒潛在能力的形態形成場確立後，我就多少預計到今日的局面，只是沒料到情況會這麼快就去到失控的地步而已。」

我和小勳臉上都展現出失望的表情，既然連媽媽也把事情定性為失控，這就代表已經沒有辦法。

我實在不敢想像，接下來世界到底會怎樣。既有的權力架構及政權土崩瓦解，社會規範及法律再無法管治人民，社會不就會退化回數千年前，文明出現前的局面嗎？加上人們胡亂使用特殊能力，大家為了搶奪資源，一定會互相殺戮，造成更多傷亡。然而，死者的屍體沒人處理，被隨意棄於一角，又會造成大規模的傳染病爆發，進一步令情況惡化，最終……

在我愈想愈絕望之時，媽媽突然開腔，這句話，簡直成為絕望深淵中的曙光：「不過，也不是完全沒有解決方法……」

3

高健似乎也不知道尚有辦法未用，我們三名男孩雙目彷彿因這個希望而閃亮起來。我追問：「誒？真的嗎？不會真的是把所有人都殺光吧？」

「當然不是。」媽媽說：「雖然這方法仍在構想階段，但成事機會很大，只要待金教授正式回覆我就可以了。他說應該在今日中午前會有答案。」

我相信高健及小勳一定不知道金教授是誰，但我想起在數年前調查爸媽過往所做的研究時，曾看過他們與金教授合撰的論文，於是問：「你和爸爸早年不時跟一位神經科學專家合作，就是你剛才說的金教授嗎？」

「嗯。你有看過他的著作？」

「只看了一點，因為對當時的我來說太困難了，沒看下去。」

「哦。不過今次的方法，並沒有想像中困難，但還是有點複雜，因為涉及一些物理理論，或者……」媽媽想了想，轉身望向身邊的高健及小勳說：「或者稍後我跟單車單獨談好了，實際執行時再告訴你們行動的詳情吧。」

高健聽到這句話，高興得差點跳起來說：「太好了，科學理論就饒了我吧！」小勳和我看到高健的反應，咯咯大笑起來，現場沉重的氣氛總算稍為緩和一點。

我們四人沉默了片刻，我才發現自己仍穿着病人服，於是提出另一個重要的問題：「話說回來，現在外邊這麼亂，我們要怎樣回家呢？」

高健疑惑地反問小勳：「咦？你還未告訴他嗎？」

小勳擔心被責怪，連忙解釋：「還沒有呀！剛才我正想帶單車去他的個人房間，再作說明，但我們談起停工停課一事，於是就先來了大廳。」

「哦。」高健望向我，回答我的問題：「我們都搬來基地這裏住了，畢竟這裏的前身是『安全屋』，較有保障，而接下來我們又會有很多行動，聚在一起較有照應。我們已替你拿了部分個人物品過來，如果不夠或欠缺什麼，我們再看看怎辦。」

高健說得對，我們待在這裏的確比自己的家安全。這裏的前身是 S 機關的安全屋，用作保護重要人物，因此位置只有極少數人知道，連前成員 Cronus 和 Iapetus 也不在名單之內。Shirley 早前逃出 Cronus 的魔掌後，S 機關擔心 Cronus 會再對她不利，於是安排她住在這裏。這裏因為曾用作保護重要人物，有時候人數眾多，所以設有大量房間及設施。沒想到後來主基地被第六國度毀掉，S 機關只好把這裏改裝成基地，而現在我們眾人都搬到這裏來。

而且自 S 機關得知媽媽沒死後，她的領袖一職獲恢復，由於她寄居於 Shirley 體內，不時要擔當指揮，選這裏作基地方便得多。不過，Shirley 就變得忙碌起來，連私人時間也被蠶蝕了。

「呀！」我的腦袋就是這麼奇怪，想着想着，又想起另一個重要問題：「你們有把圓圓貓也搬過來嗎？」

圓圓貓是我早前收養回來的貓。那時候我以為媽媽死了，於是將牠當作寄託收養回來。圓圓貓喜愛對我撒嬌，又很聰明，好像聽得懂我的話，相當易飼養，唯獨對高健好像有點敵意，經常作弄他。圓圓貓曾把水打翻在他身上、勾破他的襪子，甚至故意在他的腳邊撒尿，高健因此不時向我抱怨。不過，我認為動物是有靈性，行為舉止總有原因，很可

能是高健說圓圓貓的壞話在先，牠才會報復。我有跟圓圓貓「談」過，叫牠不要作弄得高健太狠，當然牠是否真的明白我就不知道了。

高健其實一直對我養貓一事都不太喜歡，總覺得我花太多時間及精力在牠身上。他聽到我的提問，皺着眉說：「單車，都在這種時候了……」

媽媽似乎猜到高健想說的話，打圓場說：「噢！我們應該搬漏了。」

「哎呀！牠不就很多天沒東西吃嗎？」我緊張地問。

「那我們立刻去救牠吧。」媽媽接着半建議、半下指令道：「高健，你不如代單車去一趟吧？」

高健瞪大眼睛，難以接受地反問：「什麼！怎會是我？」

「單車稍後要跟我談對策，而你見過圓圓貓，總比其他陌生人去好吧？」

小勳雖然年紀輕輕，但他看得出高健有點不願意，於是加入說：「我也去幫忙吧，我也見過圓圓貓。」

不過，媽媽想了想，否決了這個建議：「不好了，我還有點事需要你幫忙。」

「那我多帶一個初級成員去好了，就一隻貓而已。」高健淡淡然地回應。

我不肯定高健是否不高興，於是聳聳肩，對高健微笑着說：「拜託你了。」他向我翻了一下白眼，我就放心，因為我知道，這代表他對我沒好氣，也代表他心裏其實沒什麼不悅。

高健正轉身離開，打算去執行救貓重任之際，我輕慨嘆了一句：「唉，不知道 Phoebe 現在怎樣呢？」

## 第五章

無可挽救的局面

我不覺得這句話有什麼問題，所以才會在眾人面前說出來，然而我一說，難得緩和了的氣氛又變得凝重起來，高健及媽媽緊張地盯着我。

「Phoebe？」媽媽問：「她是誰呢？」

我仍一臉不解地想着她為何這麼在意之時，高健已代我回答：「Phoebe 是單車在古代神話課中的同學，早幾天她誤中 Titan 的能力，就在我把她救出領域之時，遇上了 Dione。」

我補充：「嗯。她有點聰明，也很可愛，但只是個尋常的女學生，不知道現在怎樣呢？」

這個話題應該到此完結了吧？然而媽媽聽到後，好像倍感不安，更不禮貌地提出建議：「這個 Phoebe，你最好遠離她一點。」

我離開病房至今，一直保持冷靜，但我背後吃了一肚子氣。這幾天發生了這麼多事，竟一直沒人告訴我，現在我只是認識了個新朋友，他們卻意見多多，到底他們想我怎樣？我一時氣忿反問：「媽，這是你的意見，還是 Shirley 的意見？」

「單車！你在說什麼！」媽媽提高聲浪，不快地回應：「不關 Shirley 事，只是我直覺認為這個女人有可疑。」

沒料到，高健也附和：「說起來，我也覺得她有點奇怪。當日我把她抱出 Titan 的領域時，她竟說……」

「夠了！」我不自覺地怒喝了一聲，才發現自己有點情緒失控。我深呼吸了數下，稍稍平復過來後，裝作沒事道：「我們已經談了很久，我還未吃早餐，不如我先去換套衣服，稍後再談吧。小勳，你可以帶我去我的房間嗎？」

「好呀。」說罷我就跟着小勳，離開客飯廳的範圍。我背向着媽媽走遠之時，清楚聽到她的嘆氣聲。

一陣難以形容的矛盾感在我的心頭翻滾。我在想，我其實是否不應該加入 S 機關呢？怎麼原本很要好、最親近的兩個人，我現在竟然對他們會有不理解的感覺呢？

當日我加入，是想減輕他們的負擔，以為我的智慧及能力會有派上用場的機會。可是，今日看來，我根本幫不上什麼忙，Titan 最後也是由高健對付。更可悲的，是我的體能甚至比小勳或 Shirley 的其他人格還要弱。

在這個亂世之中，我到底可以有什麼貢獻呢……

# 第六章　執着的人和貓

（本章以高健的視點進行）

# 第六章

執着的人和貓

1

（星期三上午八時，S機關基地）

單車雖已蘇醒，但傷勢仍未完全康復，需多作休息。今早我靜靜地探望過他，發現他尚未起牀，我又不想騷擾這貪睡的小豬，希望讓他多休息一下，於是沒叫他一起去吃早餐。反正在這基地內，任何時間都有食物供應。

我和小勳取過早餐後便到飯廳用膳。Shirley（其實是凌博士）今早有會議，已先行離開，所以這頓早餐只有我們二人。

吃着早餐時，我有點心不在焉，因為回想起來，我總覺得單車昨日的言行有點古怪。不，與其說是古怪，倒不如說是有點陌生，他好像有話想說，又好像不好意思說的樣子。

「高健！」

我想不通，我倆都是十多年朋友了，他還會有什麼事情需要對我有所顧忌呢？難道是有關Shirley或小勳？又或者只是他太累，才有點異樣吧？我希望是我想多了。

「高健！高健！」

想着想着之時，我聽到小勳呼喚我的聲音，只好回過神來問：「小勳，什麼事呢？」

「應該是我問你有什麼事才對。」他以一副既疑惑又滑稽的樣子說：「你為什麼把茄汁擠到自己的手上？想吃茄汁豬手嗎？哈哈！」

「誒？」我低頭一看，才發現自己在胡思亂想之時，竟把茄汁擠到手上及桌上。看着面前一塌糊塗的場面，我只好向小勳報以尷尬的微笑，把面前的茄汁清理掉，就離開飯廳到洗手間洗手。

開啟水龍頭，水潺潺奔流而出，清涼的水接觸到皮膚，本應給人精神一振的感覺，然而我卻振作不了。我只讓水慢慢流過右手，並未有用手去刷拭醬汁，因為我完全不想去觸碰這黏稠的紅色液體。我凝望着手上逐漸化開變淡的紅色茄汁，竟彷彿聞到一陣血腥味，令我不期然回想起我對付 Titan 時血腥的一幕。

當時我抓着 Titan 痛毆，以為他很快就會受不了昏倒過去，又或者吐出禁語。然而在我的猛攻下，他非但沒有就範，而且更目露凶光，並將雙手慢慢擺近胸前。

因着這動作，我想起凌博士的話，這正是我一定要跟着單車去對付 Titan 的真正原因。如果我不阻止他這樣做的話，雖然對我和單車不會立刻致命，但我們的人生也幾乎等同完了，我只好二話不說拿出求生小刀，用力刺向他的腹部，期望能阻止他的動作。可是，Titan 強忍着痛楚，繼續嘗試把雙手放在胸前。

我絕不能讓這件事發生！時間緊迫，我別無他法，只好狠心地抽出小刀，再按照早前的訓練，順序把小刀刺向他的雙手手肘筋腱、心臟、肺、頸動脈、喉嚨、口腔、雙頰。終於，他不受控地吐出聲音，因着自己的「語言力場」開始無法呼吸。

Titan 倒在地上，我以為事情已告一段落，然而他的眼神仍流露出絲絲不忿，就如魔鬼奄奄一息時，仍想詛咒世人的神情。而且，不知道到底是我的幻覺，還是真實，我總覺得他的雙腳還在動。我着實有點慌張，為免有任何差池，我近乎歇斯底里地繼續用小刀刺他的雙腳。由於他身上的傷口眾多，支撐身體的筋腱又被完全破壞，他最終像失去了支架的雨傘一樣，頹然倒在地上，成為一團難以辨識的肉團。

# 第六章

執着的人和貓

任務到此才真正結束，我回過神來之時，發現自己整個人都沾滿了 Titan 的鮮血，這時才因着眼前血腥的畫面開始顫抖起來。雖然我訓練有素，但面對這個可怕的場面時仍感到震撼不已，即使事隔數天，我回想起來仍猶有餘悸。

還好，當時我回頭望向單車，發現他已昏倒過去，總算是不幸中之大幸，否則他看到這個情況，我實在不敢想像會對他造成怎樣的心理影響。難以面對的殘酷場面，就由我獨自承受好了，我亦沒有將此事的所有細節一一告訴Shirley⋯⋯

2

一個多小時後，單車在小勳的陪同下到了客飯廳，了解現時的狀況。在凌博士的安排下，我們兵分兩路，單車跟凌博士商討扭轉局面的方法，而我則代替單車回家，帶圓圓貓過來基地。

真麻煩，我竟然要為一隻貓而冒險外出！不過，我知道單車一向很疼愛圓圓貓，不帶牠過來基地的話，恐怕他及後都無法集中精神應付第六國度。無論是為了 S 機關，抑或是為了貓奴單車，這任務是不得不做。我無奈地嘆一口氣來宣洩不滿後，就乖乖帶同另一名成員 Gary 前往救貓。

「貓？人我們都沒本事救，竟然要救貓？」Gary 也不禁這樣說，但當他得悉這是凌博士親自吩咐後，就再沒多言，畢竟他只是一名初級成員。

我們離開基地走到街上，情況果然已十分惡劣，到處都有受到破壞的痕跡。還好我們有專車使用，街上行駛中的車輛亦不多，不一會我們就到達單車家所在的大廈。

我們進入大廈時，發現內裏的情況也是亂糟糟，到處都是雜物，保安員不知所終。我們到達單車所住的樓層時，亦發現他的鄰舍「中門大開」，內裏一片混亂，卻沒有任何人的蹤影，似乎第六國度的勢力已伸延至一般民居，住戶都落荒而逃了。情況惡化之快，實在令我們有點始料不及。

我們加緊腳步走到單車的家門前。自從單車當日被我偷偷潛入家中留下「黑色信封」後，家居保安倍加森嚴，大門除了需要使用鎖匙開啟外，還要進行第二重認證：指紋或密碼。

指紋當然是指單車的指紋，不過單車現在身處基地，我們只能使用密碼。幸而單車上星期曾告訴我密碼，我才能把他的部分個人物品拿去基地。

我打開密碼面版，正打算跟上回一樣輸入密碼「5354」時，整個人卻怔住了。

面版上的提示寫着：「請由左至右順序輸入燈號顏色。」

「燈號顏色？不是四位數字嗎？」我驚訝地反問。

身旁的 Gary 眼見情況不對，加入說：「可惡，這臭小子居然改了密碼也不告訴我們！」早幾天也是 Gary 跟我過來，所以他也看得出密碼改了。

不過，我想了想，發現矛盾之處：「慢着！由我們上次過來至今，單車一直昏迷，沒有離開過基地，那麼他是如何更改密碼呢？」

Gary 猜想：「或許是定時更改吧？可能系統設有若干組密碼，每隔一段時間就自動更改，這次剛好發生在我們兩次到訪之間。」

「真麻煩！」我不悅地說。既然密碼改了，我只好致電單車，問他最新的密碼，可是電話卻無法接通。

「打不通，可能是因為他昏迷了多日，電話已沒電了。」我向 Gary 交待過後，改為嘗試聯絡 Shirley 及小勳，然而他們或許正在忙，都沒有接聽。

我搖搖頭，Gary 大為緊張，抓着頭皮焦急地問：「怎辦？我們不會白行一趟吧？如果要折返基地再回來，恐怕稍後街上的情況會更惡劣。」

「不，」我回應：「我還有一個方法。」說罷，我走到指紋掃描裝置前，把右手拇指放上去。

Gary 疑惑地問：「不是只有用單車的指紋才能開門嗎？」

「能夠直接開門的確只有單車的指紋，但我的仍可以間接開門。」

「間接開門？」

「嗯。你看，密碼面版的熒幕改為顯示密碼的提示。單車怕我會被洗腦或脅持，所以即使我使用指紋後，仍需經較迂迴的方法才能進去。」

「我想問呢……」Gary 這時靠近我，故作神秘地輕聲問：「單車家中收藏了很多寶藏嗎？為什麼保安要這麼嚴密呢？但我上次好像沒看到什麼……」

「哼！根本什麼貴重東西都沒有！所以我就說他多此一舉！」要我來找貓，又要我猜謎，我早已相當不滿，於是借機大聲回應來洩憤。不過，我始終是口硬心軟，話還未說完，我已走到熒幕前看着密碼的提示——

## 非黑即白

1、 左邊是紅燈或綠燈，中間不是藍燈

2、 綠燈在中間或右邊，左邊不是藍燈

3、 中間是紅燈，右邊不是藍燈

3

　　Gary 跟在我的背後，他看罷畫面上的提示，建議道：「咦？提示只有三句，由此看來，燈號只有紅、藍、綠三種，位置也只有左、中、右三個。這樣的話，答案就只有六個可能性，不用花時間猜了，我們逐一嘗試就可以吧？」

　　「不行。」我解釋：「這裏雖然沒註明限制，但單車說過只能輸入一次密碼。如果輸入錯誤，就要靠單車自己來了。」

　　「真麻煩啊！」Gary 也感到事情令人煩厭，竟搶了我的口頭禪來用。

　　接下來，他一邊思考一邊喃喃自語：「那只有照着提示做好了……先不理會這個標題『非黑即白』，第一句左邊是紅燈或綠燈，中間不是藍燈；第二句綠燈在中間或右邊，左邊又不是藍燈……咦？」

　　Gary 終於留意到這三句句子有古怪，我順勢回應：「你也留意到吧？這三句句子的後半句，都是相似內容的否定句。中間不是藍燈、左邊不是藍燈、右邊也不是藍燈，除非燈號可重複使用，否則這是不可能，但如果燈號可以重複，這三句又會沒有解，換句話說……」

　　「提示當中有錯的句子！『有人說謊』的推理問題我玩過不少，」Gary 搶着說，然而不久他又想到另一個問題：「但這類問題一般都會說明有多少句真、多少句假，那麼這裏有多少句謊話呢？」

　　「我不知道，我跟你一樣都只有眼前的提示啊！」我想了想，繼續說：「我想標題的『非黑即白』，是指這些提示只會全對或全錯，不會有模棱兩可或一半對一半錯。綜合以上各點……」我低頭稍為整理一下思緒後說：「熒幕上所謂的提示其實就是一道謎語。燈號有紅、藍、綠三種，位置有

左、中、右三個，各燈號只能使用一次。面前的三句句子提示正確的燈號，當中有全對的，也有全錯的，但到底有多少是對多少是錯，我們卻不知道。」

總結過後，我和 Gary 就開始思考着謎底。我記得單車跟我說過，「提示」不會複雜，因為裝置已讀取我的指紋，所以謎語並非旨在考驗我，而是用來確認我是否清醒而已。既然問題並不複雜，我就由最簡單的方向出發。

我重新看着這三句提示，首兩句有條件連詞「或」，第三句則沒有，相對前兩句簡單。我於是由第三句開始，以假設法思考。果不其然，我想了不一會，已猜到答案。

「好難！」Gary 說：「不知道有多少句是錯，怎猜啊！」

我剛好想到答案，於是說出推理過程，讓 Gary 幫我核對一下：「我大致想到了。」

「是怎樣呢？」

「處理這類真假混合的推理問題時，我們一般都會使用假設法，由假定某一句子是真或假開始。由於第三句句子是在這些提示中最直接的，我們就從該句出發。」

Gary 點點頭表示同意，並認真地聽着，我就繼續解釋下去：「第三句說『中間是紅燈，右邊不是藍燈』。假設這句話是正確，那麼中間是紅燈；然後右邊不是藍燈，而紅燈又已用在中間，所以右邊是綠燈；剩餘的左邊就是藍燈。答案即是藍、紅、綠。

我們接着利用藍、紅、綠這個答案回看首兩句句子，就會發現矛盾。第一句說『左邊是紅燈或綠燈，中間不是藍燈』，由於已假設答案是藍、紅、綠，這就代表『左邊是紅燈或綠燈』不正確，但『中間不是藍燈』卻是正確。」

「即是一半對一半錯？但不是說過非黑即白嗎？」
Gary 問。

「嗯，這即是說我們的假設錯了。而如果我們繼續看第
二句，『綠燈在中間或右邊，左邊不是藍燈』，前半正確，後
半不正確，同樣不符合『非黑即白』的原則，就代表我們不
應該假設第三句句子是正確。」

Gary 說：「噢……那麼接下來，我們要假設第一句或第
二句正確來繼續推理嗎？」

「不，不用這麼複雜。」我回應：「既然剛才的假設錯
了，這亦代表第三句句子不正確。由於『非黑即白』，只要
把第三句的前後半都改成相反就行了，即『中間不是紅燈，右
邊是藍燈』。從後半句得知右邊是藍燈；然後中間不是紅燈，所
以中間就是綠燈；剩下的左邊則是紅燈。答案是紅、綠、藍。」

「哦！接着利用首兩句來核實答案紅、綠、藍。『左邊
是紅燈或綠燈，中間不是藍燈』全句正確，『綠燈在中間或
右邊，左邊不是藍燈』也是全對，沒有違反『非黑即白』，這
代表紅、綠、藍這個答案沒問題了。」

「嗯，如果我們都同意的話，我就輸入紅、綠、藍作為
密碼了[5]。」

「好。」Gary 和應。

「嗒」的一聲，大門的第一重鎖開啟了。接着我利用單
車給我的後備匙打開第二重鎖，終於成功進入他的大宅。

單車的家我不時到訪，總是非常整潔，尤其我在數日前
才來過，而這幾天他又沒回過家，我根本不預期會有任何變
動。然而在我推開門之後，眼前的畫面卻出乎我意料之外，令
我吃了一驚。

# 第六章

執着的人和貓

4

「誒？發生了什麼事？」我瞪大眼睛驚訝地大喊。

Gary 也受驚尖叫：「怎會變成這樣？早兩天也不是這樣子的！」

我們二人現在看到的，跟外面街上的情況不遑多讓，同樣是一片凌亂。家中的家具不是東歪西倒，就是被破壞得體無完膚，而書架上的書本、電視櫃上的擺設等亦散落滿地。「家不成家」，可謂最貼切的形容。

看着眼前這個慘況，我搖搖頭，輕嘆了一聲，對將來要花多少時間才能收拾這殘局感到迷茫。單車一向愛整齊，甚至有輕微潔癖，如果他看到這個畫面，一定會昏倒過去。

在我沉思時，Gary 指着客廳的窗戶說：「你看，窗子也被嚴重破壞，看來是第六國度做的好事！」

因着 Gary 的話，我回過神來，繼續認真地觀察四周，發現破壞並不止於此。我緊接着他的話驚叫：「麻煩了，連牆壁也被破壞了！」

眼見情況不對勁，我倆走近牆壁一看，赫然發現打開了一個大洞，足夠一個成年人蹲下通過有餘。我們嘗試穿過洞口，竟走進鄰居的家，看到剛才一直打開着的大門，這代表雖然單車的家門完好無缺，實際上已經處於不設防的狀態，能輕易地從隔壁進入。第六國度似乎無法攻破單車大門的防線，於是只好從旁攻入。我無奈地輕嘆一句：「我們剛才辛苦解鎖，看來是白忙一場了。」

Gary 這時舊事重提：「單車的家果然藏有什麼寶物？」

我向他翻了一下白眼，半帶不悅地說：「這個時候不要說笑了。我猜是第六國度的人想來捉走單車，幸運地他身受

重傷而被送到基地，逃過一劫，第六國度於是到處破壞作報復。」

「單車雖然沒事，不過……」Gary 欲言又止，我點點頭鼓勵他，他才繼續說下去：「我們要救的貓恐怕……」

「呀！對！」經他一說，我才想起此行的重點，於是到處搜尋並高呼：「圓圓貓！圓圓貓！」

我和 Gary 分頭行動，從客飯廳到睡房，廚房到洗手間，我們都一一仔細查看，然而搜索良久，仍未有發現圓圓貓的蹤跡，也沒有聽到貓叫聲。

奇怪了，圓圓貓在哪呢？我低頭沉思：如果圓圓貓真的遭遇不測，照理我們會找到牠的屍體，找不到屍體，那反而代表牠還生存的機會很高，只是躲起來或逃走了。

雖然圓圓貓經常作弄我，但牠其實只會在單車面前這樣做，算是代他向我報復而已。從這點看來，我就知道牠很聰明，牠很可能在第六國度破牆而入時，已猜到有人會對牠不利，於是躲了起來。

我進一步想，如果牠真的打算躲起來，那有很大機會會躲進單車的房內，因為單車特意在牀底建立了堅固的「安全空間」，讓圓圓貓在遇到危險時能有個避難所。

一想到這點，我就拉着 Gary 衝進單車的睡房。我二話不說，俯伏在地，一邊爬進牀底，一邊輕聲說：「圓圓貓，我是高健，不用怕。」

我之所以會這樣說，是怕圓圓貓受驚後，一看到人類，便以為是要襲擊牠而反擊。而我似乎找對了地方，因為我在牀底的陰暗空間中，看到發亮的眼睛。

不過，發亮的眼睛不只一對，而是接近十對！

第六章

執着的人和貓

5

　　我起初吃了一驚，以為「最安全的地方就是最危險的地方」，「安全空間」已被猛獸佔領，成為了獸穴。不過，事後回想起來，我才發現自己過慮了，牀底的空間又怎可能容納得到猛獸呢？

　　我本能地往後退，當我的眼睛慢慢習慣了黑暗，視覺變得稍為清晰後，我就看到這些眼睛其實都是來自貓隻。

　　站在這一眾貓最前面的是圓圓貓，牠蹬直身子作備戰狀態，似乎是貓群的先鋒及守護者。在圓圓貓身後，是一群小貓，身形非常細小，只比成年人的手掌大一點，看來都只是出生不久，牠們瑟縮在圓圓貓的身後驚惶發抖。

　　圓圓貓看到熟悉的面孔，心情才稍為平復下來，收起惡相。

　　單車平日不時跟圓圓貓說話，我一直不以為然，不相信圓圓貓聽得懂。然而在這個時候，我已別無他法，只好硬着頭皮，嘗試跟牠溝通：「圓圓貓，這裏很危險，單車暫時不會回來，我們一起離開這裏吧。」

　　「喵。」牠站在原地淡淡然地回應。

　　我不明白牠的意思，但牠看來卻多少明白我的話，我只好重組內容，繼續勸說：「圓圓貓，我是替單車過來找你的。他很擔心你，但有事無法親自接你，才叫我帶你過去。不用怕，跟我走吧。」說罷我伸出雙手，想要抱起圓圓貓。

　　然而牠聽過我的一番解釋後，對我伸出的援手不單不領情，而且還怒叫了一聲，並伸出尖爪作警戒。

　　我無法接近牠，只好皺着眉頭問：「為什麼呢？這裏很危險，你留下來很可能會死啊！你不想回單車身邊嗎？」

　　Gary 看到我一直沒有進展，也鑽進了牀底，同時觀察到我和圓圓貓的交涉過程。旁觀者清，他提醒我說：「牠很可能是因為身後的一眾小貓，才不願離開。」

　　我平日總覺得 Gary 有點傻頭傻腦，但他這句話簡直是一言驚醒夢中人。我一直想着要帶走圓圓貓，卻沒理會身後的小貓群，沒有解開牠的心結，自然無法令牠離開。

　　Gary 這時問：「這些貓都是圓圓貓剛誕下的嗎？」

　　我不知道答案，但圓圓貓代我回應：「喵！」牠的回覆聽起來帶點不服氣的感覺，我猜是否定的意思。

　　因着 Gary 剛才的提醒，我知道硬來是沒用，於是開始動動腦筋，整理着至今看到的東西。牆上的破洞及鄰舍打開了的大門，代表圓圓貓可以自由進出單車的家；街上及大廈內的亂象，意味着附近的小動物都很可能流離失所，而小貓們又似乎不是圓圓貓的子女……

　　「啊！」我想通了事情的來龍去脈，雖然我跟圓圓貓的溝通有點障礙，已知的東西亦相當有限，但我總算明白是什麼一回事。

　　我向圓圓貓確認：「這些小貓都是住在附近，但跟父母失散了？」

　　「喵。」

　　「你把牠們救了回來，要保護着他們，所以不能跟我走？」

　　「喵。」

　　上述兩道問題，我猜牠的回覆都是肯定，這代表我的推斷沒錯。不過，即使如此，我仍不能讓牠身陷險境，我再次

## 第六章

執着的人和貓

勸說：「我明白了，但這裏真的很危險，不走的話你也會有麻煩啊。不如我們連同小貓一起走吧？」

牠搖着頭回應：「喵！喵喵。」

我雖然不肯定這「貓話」是什麼意思，但從牠剛才以行動拒絕我一事，我估計牠是擔心小貓的父母會回來尋找子女，所以堅持不肯離開。

Gary 似乎也得出相同結論說：「這就麻煩了。如果圓圓貓要留在這裏保護其他貓咪，那我們要怎樣交差？要用武力抓牠回去嗎？」

「不行。」我回應：「圓圓貓很有性格，即使我們強行帶牠回基地，牠的心仍然在此，一定會想辦法溜回來，到時牠只會更加危險。我想……」

「轟隆！」我的話還未說完，外面突然傳來巨響，那聲響之大，連躲在牀底的我們也感受到震動。Gary 於是站起來，去看看到底發生了什麼事。

小貓們因巨響而受驚，我安撫牠們說：「Gary 哥哥已出去看看發生了什麼事，不用怕。」

「喵。」圓圓貓和應，並回頭安撫着小貓們。

我們常說「物似主人型」，單車是既執着又正義的人，他養的貓竟然也受到感染，在危難中堅持照顧跟家人失散了的小貓，實在令人感動。說起來，我也在不知不覺間受到單車的影響，變得愛護小動物，甚至和他一樣傻，跟貓說起話來，或許這正是他的魅力吧？

我和圓圓貓對望了一下，Gary 剛巧在這個時間回來，對我說：「鄰街出事了，一群市民正利用特殊能力到處破壞及搶掠，恐怕不久就會蔓延到這邊來。」

「真麻煩！」我明白此地不宜久留，續說：「單靠我們二人無法抵擋這批暴民，看來我們得撤退了。」

「但圓圓貓呢？」Gary 追問：「雖然牠堅持不肯走，但如果我們不把牠帶回去的話，單車一定不會就此罷休。」

這個問題，在我和圓圓貓對望的一瞬間就已有答案。如果牠真的是「正義之貓」，一定會明白我的苦心……

我無奈地嘆了一口氣後，沒正面望向 Gary 說：「事到如今，看來我們只有這樣做了。」

說罷，我向圓圓貓道別：「圓圓貓，我相信你會同意我的做法，請你原諒我……」

# 第七章　首探科學館

（本章以單車的視點進行）

# 第七章

首探科學館

1

「夠了！」雖然我一個人在個人房間內冷靜了好一段時間，但仍無法忘掉剛才我破口大罵眾人一幕。不過，我並不是仍為他們對我有所隱瞞而耿耿於懷，而是為自己發脾氣而內疚。他們只是為我着想而已，既然我幫不上忙，再令多一個人煩惱又有何用呢？況且到現在需要我之時，媽媽不正是打算找我一起討論嗎？

想起來，我真是個傻瓜，竟為這點小事而發脾氣。我決定不會再胡亂猜度他們的心意，想通了之後，我輕拍自己的臉頰來抖擻精神，換過便服後，我就回到客廳。

我打算立刻向他們道歉，畢竟早點解決事情，避免在眾人心內留下一根刺，是最好的做法。然而我卻發現他們都不在：高健應該已出發替我帶圓圓貓過來，小勳另有任務，Shirley 則跟媽媽去等候金教授的回覆，準備稍後和我討論。既然眾人不在，我剛才發脾一事只好不了了之。

由於熟悉的人都不在，我又未吃早餐，只好求助於其他 S 機關的成員，在他們的帶領下找到廚房。我本以為組織的廚房會像監獄的飯堂，既沒什麼選擇之餘，又不會太好吃，然而我錯了，而且還錯得很。我還未走到門口，就已聞到從廚房溢出的香氣，令我不禁垂涎三尺。走到內裏之時，更發現食物的款式眾多：中式點心、港式茶餐廳美食、法式包點、英式早餐等，簡直花多眼亂。

這一刻，我幾乎想吃盡所有食物，特別是昏迷了多日，我的肚子早已空洞得呱呱作響，差點就忍不住全都要點一份。不過，我知道這樣做等同浪費食物，而且我現在空肚吃早餐，一下子吃太多只會感到不適，所以最終還是沒有亂來，只點選了炒滑蛋、煎火腿、沙嗲牛肉麵，再配上香滑的熱奶茶。

回到飯廳，我終於按捺不住狼吞虎嚥起來。不知道是因為我實在太餓，還是最近我經歷了太多陰沉的事，我總覺得這份早餐是我有生以來吃過最好吃的食物。嫩滑的炒蛋、香

口的火腿、濃郁的沙嗲牛肉及充滿回甘的奶茶，四者逐一刺激我的味蕾，我差點感動得像那些動畫角色一樣誇張地大呼美味及激動流涕。我實在很好奇，為何這個秘密基地能製作出如此美味的食物，是他們利用特殊能力烹調出來嗎？

我鯨吞整份早餐，滿足地打了一下嗝後，就站起來，想回去廚房查明隱藏在美味背後的秘密。可是我只走了數步，背後便傳來媽媽的聲音：「單車，你現在方便跟我談談嗎？」

我呆了半晌，明白正經事比這無關痛癢的小事要緊，只好暫時放低好奇心，爽快地回應：「好啊！我剛好吃過早餐，是時候『開工』了。」

2

我和媽媽二人走到會議室。這裏跟一般的大型會議室差不多，除了有供數十人用的桌椅外，還有白板、電腦、投影機、屏幕等。不過，我們其實用不着這些東西，所以只隨意在近門口的位置並排而坐，商討接下來的對策。

「單車，」我們甫坐下來，媽媽就先行開腔。我猜以她這種理性的性格，一定會單刀直入，立刻開始商討解決辦法，然而她的話卻令我吃了一驚：「對不起，媽媽保護不到你，最後還是把你捲進了這件麻煩的事來。」

我沒預料她會如此感性，一時間有點不知所措，尤其語氣雖然是媽媽，說話者的外表卻是 Shirley，兩者總是有種難以名狀的不協調感。

說起來，媽媽當日和 Shirley 成功從 Cronus 手上逃出後，我們雖偶有對話，但都只是簡單的寒暄或有關「公事」，她從未對我說過一言半語的心底說話。現在她會這樣做，或許是剛巧意識界內的其他人格都睡着了所以不怕尷尬，又或者她自知社會已混亂不堪，將來能和我安坐交談的機會已不多……

我呆了半晌，才鼓起勇氣回應及道謝：「不要這樣說吧！事情發展至今，並非你能夠預計。其實我得到 S 機關的保護，已比一般人幸運得多。我知道這段時間你也很辛苦，想盡辦法去扭轉困局。作為一般市民好，作為你的兒子也好，我應該感激你才對。」

我們二人相視而笑，雖然沒有再說下去，但母子之情早已傳達到對方的心裏。

不久，媽媽回復平日在基地內認真的表情說：「那我們返回正題吧。」

「好呀。」我也開始嚴肅地總結當前的局面：「剛才我從新聞看到，市民到處胡亂使用特殊能力，情況已到達失控的程度，很可能會造成大量人命傷亡甚至文明倒退的結果。事情似乎已經發展到如滾雪球般的局面，以 S 機關現時的人力物力，根本無法收拾。不過，你剛才說我們未完全絕望，還有解決方法，而且跟神經科學的專家金教授有關，到底是什麼一回事呢？」

「事情的背景總結得不錯，但我們在談到解決辦法前，要先說一下相關的科學理論。」

聽到「科學理論」一詞，我的「科學魂」便燃燒起來。我挺直身子，聚精會神地望着媽媽問：「是什麼呢？」

「是迅子。」

「迅子？」我反問：「你是指超越光速的粒子嗎？」

「對。」她解釋：「迅子（Tachyon），又名快子或速子，是比光速更快的次原子粒子。它是由愛因斯坦的狹義相對論所衍生出的假說粒子。我打算藉着迅子，用來……」

「慢着！」我留意到這理論有一個很大的問題，於是打斷媽媽的話說：「理論歸理論，迅子雖然理論上可以存在，但

6 歐洲核子研究組織（European Organization for Nuclear Research），其簡稱 CERN 來自它的前身「歐洲核子研究理事會」的法語 Conseil Européen pour la Recherche Nucléaire，及後一直沿用。

至今仍沒有任何有力的實驗結果證明它真的存在。即使是美國的費米國立加速器實驗室，又或者 CERN[6] 的粒子加速器，亦只能把粒子加速至光速的 99.99%，之後無論再投入多少能量，都無法讓粒子到達光速，更遑論要超越光速。」

媽媽笑了一聲，但似乎不是冷笑，而是對我有豐富的科學知識感到高興。她回應：「你說得沒錯，至今的確仍未有發現迅子的證據。可是，由於迅子與一般物質——即相對稱為慢子（Tardyon）的物質——的相互作用不明顯，所以即使存在都不一定偵測得到啊！」

「話雖如此，但既然至今仍未有科學實證證明迅子存在，那我們又怎可能拿迅子來用呢？」

「你忘了嗎？」媽媽向我自信地微笑了一下：「我們 S 機關擁有最頂尖的技術，而我們要找的金教授，其實也是 S 機關的成員。」

「啊！你的意思是，金教授已經找到迅子？」我驚訝地問，因為如果此話當真，我們可以做到的事就會相當驚人。雖然我們還未討論迅子的用途，但它能超越現今不少科技的界限，只要能夠成功掌握迅子，我敢肯定現今失控的局面總有方法能夠平定。

我滿心歡喜地期待着媽媽肯定的答案，然而她的回應卻令人有點不明所以：「唔……這又不是完全正確……在現實中，我們仍未找到迅子。」

「這即是怎樣？既然找不到迅子，你又為何說打算利用迅子？」

媽媽看到我有點焦躁，安撫我說：「單車你不要心急，先聽我繼續說下去。我們雖然在現實中仍未找到迅子，但我們卻在其他地方有所發現。」

第七章
首探科學館

這個回應令我更摸不着頭腦，倍感煩躁。我帶點嘲諷意味說：「你說現實中找不到，不會是在發夢時找到了吧？」

「差不多。」媽媽說。

「差不多？」我驚訝地高聲反問。媽媽在這個危急關頭，竟然還有心情跟我開玩笑？我一時間非常不快，差點又想爆發出來。不過，我說過不能再輕易發他們脾氣，而且當我稍為冷靜下來後，我想起外面的情況險峻，而媽媽此刻的表情又相當認真，不像是胡鬧，莫非他們真的在夢境內發現了迅子？

我正盤算着媽媽的真正心意時，她直接回應了我的反問，同時解開了我心中的疑團：「我們是在意識界內找到迅子。」

3

「啊！」聽到這個令人震驚的回覆，我不自覺地喊叫了起來，瞪大眼睛望着她。雖然在這幾年內，我經歷了不少超越現今科學知識甚至想像的怪事，但「在意識界內找到迅子」這句話，我亦一時間無法接受。超越光速的粒子果真存在，本來就夠不可思議，它還要存在於意識界？而即使它存在於意識界內，S機關又是如何進入意識界並發現迅子呢？我頃刻成了「問題少年」，被滿腦子的問題佔據了心思。

我一臉疑惑的樣子想必十分滑稽，媽媽竟突然失笑，令我的集中力重新回到她身上。她說：「真是傻瓜。放心，我會逐一解釋的。」

媽媽親切的笑容實在令人着迷，我不禁怔了一怔才懂得回應：「好呀。那你不如先解釋，到底有什麼證據，證明迅子存在於意識界？」

「沒問題，這個很簡單，你或者都親身經歷過。你有試過看到某些事物或場景，明明是第一次看見，卻不知為何有似曾相識的感覺嗎？」

「有呀。」我回應：「這是『既視感（Déjà vu）』，指人在清醒時首次見到某場景，卻有早已看過的感覺。以我所知，科學界普遍認為，人們在疲倦、壓力大或被新事物重重包圍下，大腦未必能一一處理而『打結』，大腦於是在記憶存取中出現錯亂，把剛取得的信息誤當成過去記憶，造成既視感的現象。既視感較常出現在年輕人身上，這點也跟以上的解釋不謀而合，因為年輕人生活較忙碌及不注重休息，接觸新事物的機會也較多，容易令大腦過勞。當然，也有其他相對『不科學』的解釋，例如有人認為既視感是前世記憶的證明，也有人把它說成是集體潛意識或形態形成場的證據。」

「很好。」媽媽稱讚我過後，反過來問我：「那你覺得這些說法可信嗎？」

她故意這樣問，我肯定背後有什麼意思，但我並未想到答案，只好不明所以地反問：「你的意思是，這些說法並不正確？」

「我不會說是『不正確』，只能說那是基於現有科學知識的解答。正如有人拍攝到不明飛行物體的照片，科學家一般會解釋為飛機或其他人造飛行物剛巧經過、反光、折射或繞射現象等，而不會說是外星人的太空船，因為我們至今仍未找到外星人的證據。」

聽到這段說話後，我靈機一觸，終於想通了為何媽媽會突然提出既視感這現象。我興奮地高聲說：「啊！所以科學家也不會用迅子理論來解釋既視感，因為他們未曾找到迅子存在的證據！」

# 第七章

首探科學館

「對。如果用迅子來解釋既視感，事情就會變得有趣得多了。」媽媽開始詳細說明：「在意識界中，我們的記憶一般靜止不動，速度遠低於光速。然而在存取期間，記憶會因應需要排列起來，有時候更會在排列過程中發生碰撞。如果我們不斷進行高速存取，加速進行排列，記憶之間的碰撞也會加劇，在極罕有的情況下，記憶會因碰撞而超越光速，變成迅子。

根據狹義相對論及相關的數學推算，超光速的迅子擁有回到過去的能力，所以當記憶巧合地變成迅子時，就有可能會回到過去的意識界，既視感正是由此而來。在這極罕有的情況下，原本屬於未來的記憶偶然回到過去，成為我們現在記憶的一部分，及後我們真正第一次看到某事物時，由於已有相關的未來記憶，所以就有似曾相識的感覺了。」

我聽到如此有趣的想法，完全無法冷靜下來。我繼續興致勃勃地追問：「可是，同樣根據相對論，要把粒子加速至光速，需要無限能量，這就是為何科學家用盡一切辦法也只能把粒子加速至光速的 99.99%。單靠記憶互相碰撞，又怎可能加速至超光速呢？」

「你似乎又忘記了，科學理論在意識界是不管用的。在意識界中，所有東西都不是以實體存在，其質量並不一定是實數，可以是零，甚至是複數。你和 Shirley 都不時前往意識界，應該留意到你們在該處並非以實體存在，時間流逝速度也跟現實有別吧？」

「慢着！Shirley 和眾多人格住在意識界中，因而有能力前往，這點我明白，但我何時去過意識界呢？」

「你使用『永久記憶』時，到達記憶的空間『白色異境』去找尋記憶，其實那裏也是意識界的一部分。」

「哦！原來如此！」我驚嘆地說。

「所以一般只擁有單一人格，又沒有相關能力前往意識界的人，根本不會留意到意識界的存在，自然也不可能理解既視感現象的真正原因，竟然是因為迅子的存在。」

我在腦海中稍為整理一下以上的對話，確認自己都能一一消化後，繼續問：「好，那我假設我們能夠掌握到意識界內的迅子，你打算如何利用它來收拾這個殘局呢？」

我們進入正題，媽媽的臉色立刻凝重起來：「世人胡亂使用能力而導致一片混亂的情況，無論『現在』還是『將來』，我們都沒有能力去改變了，所以唯一的辦法，就是返回『過去』，在問題出現前把它消滅掉。」

「誒？」我再一次吃了一驚，張開了空洞的嘴巴發怔。雖然媽媽說要利用迅子，我已多少猜到事情並不簡單，但我當我親耳聽到實際目的後，依然一時間反應不了。

媽媽看到我的反應，苦笑了一聲後說：「你會如此驚訝也很合理，Shirley 第一次聽的時候，反應比你更誇張呢！」

「哈……」我苦笑來回應媽媽的安撫，然而我的笑聲顯然比她乾澀而生硬得多。

良久，我總算稍為平復過來，媽媽續說詳情：「我們打算利用迅子能回到過去的特性，用來跟過去的我及你爸爸的意識通訊，詳細說明如今正在發生的事情，從而說服他們，提早終止潛能覺醒計劃，並把 Cronus 殺掉。如果事成，覺醒特殊能力的形態形成場就不會確立，自然沒有人會到處破壞……」

聽到這裏，我想到更多的好處，高興得搶着說下去：「而且你也不用寄居在 Shirley 體內，爸爸也會安然無事活着！太好了！這計劃實在太完美了！」

# 第七章

首探科學館

　　我會如此興奮，除了因為事情看似能迎刃而解外，爸媽被 Cronus 害苦一事也能藉改變過去而逆轉過來，我實在想不到不立刻行動的理由。我高興得不能自已，也忘記了追問連帶問題，如其他相關的科學理論、犯駁之處、有否後遺症等。

　　可是，媽媽這時的表情跟我可謂南轅北轍，她仍一臉凝重，好像仍有什麼猶豫。我輕聲問：「媽媽？」

　　她沉醉在思考當中，沒有反應，我於是拍一拍她的肩膀，她才回過神來說：「嗯。哈哈！好，那我們出發了。」她終於開朗起來，我也能稍為安心下來。

　　「我們要出發去哪呢？」我問。

　　「科學館。Cronus 似乎已猜到我們的計劃，派人追殺金教授，阻止我們扭轉困局。幸好金教授早有防範，察覺了危機，已躲到香港科學館去。」

　　我既擔心，又疑惑地追問：「科學館內有地方躲藏嗎？」

　　「你放心，在科學館的工程組內有金教授的親信，近年科學館多次擴建及翻新時，已偷偷為他準備了安全而秘密的地下洞。它本來是用作秘密研究迅子，所以有關迅子的設備已在該處，現在不巧發生了事故，正好派上用場，同時用作避難。金教授剛才跟我聯絡時，說儀器已經準備好，只待我們到達，就能向過去的人發訊息。」

　　既然一切已準備妥當，我們計劃立刻起程。然而當我們打算離開會議室時，卻發現外邊站着兩名成員，其中一位看到我們，隨即走到媽媽的身邊耳語。我雖然聽不到內容，但看到媽媽的面容瞬即繃緊起來，顯然是遇到麻煩事。

　　她回頭瞥了我一眼，我識趣地說：「如果你沒空，我自己先去找金教授也可。」

「不行！」她緊張地喝止：「萬一遇上第六國度的人又或者暴徒，你自己一人就會很危險，但⋯⋯如果我們太遲去，我也擔心金教授⋯⋯」她低頭想了好一會，似乎已別無他法，皺着眉勉強地下了一個艱難的決定：「還是你先出發吧。高健不巧出了去，我請另外兩名行動部的成員 Vincent 及 Chris 跟你一起去。稍後我一有空，就立刻趕來跟你會合，畢竟這是最重要的一步，我不能不去。」

「好的，那我先出發了，待會見。」我自信地回應。

「待會見。」她亦勉強向我擠出一個微笑，然後就轉身跟成員邊談邊離去。從她的表情看來，似乎發生了什麼大事，跟會見金教授同等重要，令她不得不立刻處理。

看到媽媽臨離開前的苦惱表情，我不禁回想起剛才談到改變過去時，我興高采烈、她卻若有所思地發呆的反差。她怎麼好像高興不來呢？直覺告訴我，媽媽在改變過去一事中似乎對我有所隱瞞。

算了，我早前不是已下定決心，不再胡亂猜度其他人的想法嗎？媽媽是不會害我的，我還是專心一意，盡快找到金教授要緊。

4

我們三人分別坐上兩部專車——我和 Vincent 坐上一部，Chris 則駕駛另一部跟着我們的車尾作照應。他們說，如果不是因為現在人手緊絀，理應動用三輛車，一前一後保護我才對。我雖然沒有說出口，但他們也未免太杞人憂天了吧？

香港科學館位於尖沙嘴與紅磡之間，本來交通便利，距離基地亦不算很遠，這個時間路上又沒有什麼車輛，理應很快到達，然而我們卻用上平日數倍的時間，因為路上的暴民

愈來愈多，路旁不少建築物及設施被破壞至堵塞道路，令我們不得不經常繞路避開。

我們花了近一小時，才好不容易到達目的地。各行各業停工，作為政府設施的香港科學館也不例外，現正閉館，亦沒有保安看守。不過，對打算搶劫的暴民來說，由於它和鄰近的香港歷史博物館都沒有什麼「價值」，我們下車時並未有遇上麻煩，倒是一街之隔的商舖及銀行就被暴民重重包圍。

下車後，Vincent 及 Chris 立刻在車尾箱拿出大量工具，如剪鉗、鐵筆、電鑽、電腦、視波器等，實行「軟硬兼施」，望能盡快進入科學館。我無力協助破門，只好不停左顧右盼，協助他們「把風」，同時留意暴民會否由附近街道移師至此。

行動開始不久，我的電話傳來震動，來電顯示是Shirley，應該是媽媽打電話過來。為了自身安全，我不敢走遠，只站在原來接聽。

「喂，媽⋯⋯」不過，我才說了兩個字，就想起有其他成員在場，立刻改口：「凌博士。」

電話傳來的果然是媽媽的聲音：「你們的情況如何？」

我回應：「我們剛到達科學館，大門鎖上，Vincent 及Chris 正在努力破門。」

「很好，」媽媽滿意地說：「這就代表金教授應該安全，我們距離成功邁進了一步。」

「對了，」我追問：「金教授在科學館哪裏呢？」

「以我所知，他的地下室位於『生物多樣性展廳』之下，而該廳位於地下。你們從大門進入時，應身處一樓，這時轉左，就能利用樓梯或扶手電梯到達地下了。」

「好的。」

「另外，我要提醒你們一點：如果你們到達後發現地下室上了鎖的話，千萬不可強行破門內進，因為與迅子相關的儀器都非常敏感，強烈的震動或衝擊有可能會干擾甚至破壞儀器，計劃就會泡湯了。」

「我明白了。」我回應過後，突然想到延伸問題：「咦？但如果真的上了鎖，我們要怎樣通知金教授開門呢？」

「是通知不到的。正如早前所說，儀器非常敏感，所以地下室以極厚的石屎及鉛板等阻隔力強的物質建成，以完全防止無線電波及幅射的干擾，但正因如此，連一般通訊裝置的訊號亦會阻隔掉。早前我跟金教授最後一次通訊時，他仍在地下室外，但數分鐘前我已找不到他，他很可能走進地下室了。」

我緊張地追問：「誒？那怎辦？我們要一直等到他自行走出地下室嗎？」

「你又不用擔心，外面也有其他方法打開地下室，不過就相當繁複。如果我沒記錯，在館內一樓的『磁電廊』處，好像藏有打開地下室的方法。有需要的話，你們就去找找吧！」

「好的。」說罷我又想起另一個問題，再次追問：「對了，剛才我臨出發前，你那邊好像有什麼麻煩，是什麼事呢？」

「唔……那個……」媽媽剛才跟我對話時一直對答如流，但在這時突然支吾起來。她好像有意隱瞞地說：「事情其實跟你和高健有關，但在電話內很難清楚說明……不如我們事成後再說吧，哈哈！」

那件事顯然不是什麼好事，她才會難以啟齒，說得如此一塌糊塗，這倒令我更加在意。不過，既然媽媽不想說，即

使我糾纏下去，亦不見得能令她開口。我只好深呼吸了數下來壓下過剩的好奇心，就把事情拋諸腦後。

通話結束之時，Vincent 及 Chris 已成功開啟大門，我們一行三人就立刻溜進了科學館。

5

科學館內漆黑一片，不過我們並沒有開燈的打算，只以手電筒照明，配以手杖協助，鬼鬼祟祟地慢慢前進，畢竟我們現在是擅闖政府地方，還是低調一點較好。

我們先摸黑到達生物多樣性展廳。這是科學館於 2016 年 9 月開設的全新常設展覽，以支持聯合國大會把 2011 至 2020 年定為「聯合國生物多樣性十年」，並提高大眾保護生物多樣性的意識。

生物多樣性是指生物變化的程度，以及其生存環境的多樣化及變異性，簡單來說，就是一個區域內物種的多寡。近年來，我們常聽到物種不斷減少，不少生物快要滅絕，正是生物多樣性降低的結果。導致生物多樣性降低的原因很多，但主要都是人為因素，包括環境污染、棲息地被破壞、過度捕獵等，換句話說，生物多樣性降低根本是人類一手造成，現在唯有以教育及其他方法來盡量減慢其速度。

生物多樣性展廳開幕不久，內裏擺放着眾多簇新的展品，而且我們對該處並不熟悉，於是小心翼翼地避開展品，到處找尋了一會，終於在一個名為「紅樹的根部」展品底部，找到了疑似地下室的入口。

那是一道藏在地面的金屬門，做得相當精妙巧手，它跟地板完全平整，而且被展品及地氈遮蓋，若非我們眾人手持手杖，Vincent 又剛好敲到該處而聽到聲音有些微分別，我們也不會察覺得到。

Vincent 及 Chris 見狀立刻把地氈扯開，看看會不會有開關或門柄，然而果然不出凌博士所料，門關上了並完整地嵌進地面，無處發力把它拉開。我亦把不能破門一事告訴了他們二人，我們只好依照凌博士的指示返回一樓，到磁電廊找尋開門的線索。

磁電廊跟生物多樣性展廳不同，此館設立已久，所以當我踏足該處，一陣令人懷念的感覺立時湧上心頭。我看到頭上的磁電廊、電磁及電燈圖案的霓虹光管，雖然沒有亮着，但年幼時感受到的五光十色，彷彿立刻活現眼前。呀！我真傻，「活現眼前」是理所當然的，因為我擁有「永久記憶」嘛。

磁電廊內的設施跟我記憶中的相若，除了只供觀看的展品外，也有不少可親身體驗的示範，如「人體導電」等。當日我會愛上科學，其實跟科學館有密切的關係，是它令我對科學產生了濃厚的興趣。

不過，我也想起當日我到訪科學館時，並非如其他小朋友般由父母帶領，而是由公公帶我來的。只可惜在那之後不久，他就急病過身，遺下婆婆孤獨了十多年。到幾星期前，婆婆也因為第六國度的破壞而不幸喪生，我亦因此加入了 S 機關，決心要殲滅第六國度。

一想起第六國度的惡行，我的怒火就猛烈地燃燒起來，我亦從回憶中返回現實。

磁電廊說大不大，說小也不算小，展品亦眾多，我們三人於是分頭在該處搜索，再互通消息。然而搜尋了近十多分鐘後，我們仍沒有發現。

我們三人重新聚集，Vincent 有點傻頭傻腦地問：「怎會這樣？」

# 第七章

## 首探科學館

Chris 則比較冷靜地問我：「單車，凌博士有說過打開地下室的裝置是怎樣的嗎？」

「沒有，她也不太清楚，只知道應該在這裏。」我回答。

Chris 說：「這就奇怪了，我們剛才分頭看了這麼久，都沒看到不像展品的東西。」

Vincent 也說：「對呀，都是科學展品而已。」

我們一時間有點不知所措，尤其待在黑暗中搜索困難，又不知道目標物是什麼，多少令我們有點不快。我曾考慮將「永久記憶」中的磁電廊跟眼前的比較，看看有沒有什麼東西是我上次參觀時沒看過，那就很大機會跟地下室有關，然而一試就發現並不可行，因為我上次來已經是不知道多少年前，相差太大，根本無法藉比較得出有用的結果。

冷靜！我告訴自己。S 機關讓我加入，除了因為我是凌博士的兒子外，也是因為我的頭腦。他們二人只是為了保護我而來，所以在這三人之中，我就是核心。現在大家沒有半點頭緒，正是我發揮作用的時機！

我集中精神，回想搜索期間的所見所聞。突然間，Vincent 剛才說過的「科學展品」一詞在我的腦海中彈出，直覺告訴我，這個詞有什麼值得參詳之處，極有可能是關鍵的所在。

我於是追問：「Vincent，剛才你說在這裏看到都是科學展品，但這裏是磁電廊，應該都只是跟磁力或電力有關的東西才對。你是否看到非磁力或電力的展品呢？」

Chris 聽到我的提問後，雙眼閃出靈機一觸的亮光，我在昏暗中也感受得到。他也把注意力集中到 Vincent 身上。

Vincent 側一側頭，稍作回想才回答我：「我不太熟科學，不太肯定那是不是跟磁力或電力有關。」

「不要緊，你說來聽聽。」我鼓勵他說。

「哦，好呀。」他回應：「在有關燈泡展品的範圍內，有一台古怪的裝置藏在不起眼的角落處。」

我問：「你可以詳細一點形容該裝置嗎？」

「那東西很古怪，我不太懂得說到底是什麼，它的其中一部分有點像波子機。」

「波子機？」Chris 吃了一驚，下意識地反問，並朝我望過來。

我幾乎立刻肯定，我們終於找到打開地下室的關鍵，因為波子機理應不屬於磁電廊。

6

我們由 Vincent 的帶領下，果真發現一台類似波子機的怪異裝置。該位置毫不起眼，在貼近地下的一個角落，又被眾多展品遮掩着，即使燈火通明，不細心找尋也未必能發現，更何況我們現在只能靠手電筒照明？可幸 Vincent 的觀察力強，竟然摸黑也發現到它的存在。

對了，我會說那是「類似波子機的怪異裝置」，而不直呼是波子機，因為它跟我們常見的波子機，不論是西式的波子機還是在日本被稱為「柏青哥」的彈珠機，也有相當的出入。這怪裝置分成兩部分：左邊的木製「波子機」及右邊的觸控小熒幕。

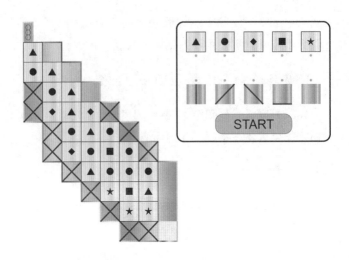

先說左邊。我們會認為它是波子機，是因為左上角的三顆金屬珠，但除此以外，其他部分都跟一般的波子機相距甚遠。然而，如果不稱它為波子機，我們又不知道這到底是什麼，為了方便溝通，只好先這樣假設。

波子機被完全密封在透明膠箱內，我們無法直接觸及各部分。它的外貌有點像階梯，左上放有三顆金屬珠，右下有一個像終點的槽。在這兩者之間的連接部分，上下方皆有着不少由小木條組成的交叉，中間則是大量畫有各式各樣圖案的小方格。在方格與方格之間存在小狹縫，代表每個方格互相獨立，似乎可以替換，但暫時用途不明。

而右邊的熒幕相對容易理解。較上部分成上下兩列，各顯示了五個小方格，上排的五個跟波子機中間印有圖案的方格一樣，下排則是方向不同的小木條。在兩排圖案之間設有連結點，似乎可作配對之用。最下邊還有「START」字樣的按鍵，應該可啟動什麼機關。

我仔細研究過這裝置後說：「這東西應該就是凌博士所說的地下室開關。」

「但到底要怎樣用呢？」Chris 狐疑地問。

這個答案我當然不知道，我研究了這麼久，其實也沒有頭緒，故側側頭沒有回應。沒料到，性子急的 Vincent 這時說：「應該是用右邊的熒幕控制吧？試一下好了！」

我聽到這話後大驚，但還未來得及反應，他已有走近小熒幕有所行動。

「喂！」Chris 也想喝止他，但他在熒幕上手指一彈，已把上排的「▲」連接到下排「／」的小木條圖案。與此同時，左邊的波子機傳出機器運作的聲音，所有印有「▲」的小方格突然縮向後，收進了波子機內。同一時間，「／」的小木條亦在這些小格子中伸出，把波子機的空隙重新填滿了。

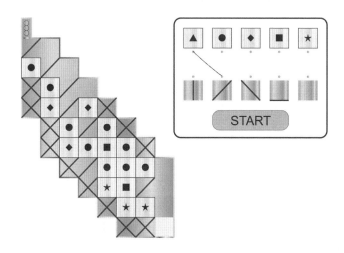

「還是行動實際！」看到眼前的變化後，Vincent 興奮地說：「你看，在熒幕上把兩個圖案連接起來，波子機就從印有圖案的小方格中伸出了木條，令波子機產生變化。這樣看來，只要把五個圖案都連接起來，波子機上的怪異圖案就會全都變成木條，遊戲才能玩下去。」

\\\\\\\\\\\\\\\\\\\\\\\\\\\\\\\\\\

# 第七章

首探科學館

「唔……」Chris 在旁分析道:「這個裝置也太複雜了吧?五個圖案可分別連接五個木條擺法……可以重複嗎?」

Vincent 再次以行動驗證,他在熒幕上畫了數下後說:「不行,它不讓我重複連接。」

「不能重複,五個圖案配五個木條擺法,就有……120個組合!」Chris 驚嘆。

「噢!真複雜。」Vincent 口裏雖然這樣說,但實際上他已在熒幕上繼續連接其他圖案。

他們二人一唱一和,我無法加入,但這時我看到 Vincent 快要把所有圖案都完成連結,不禁擔心起來說:「Vincent,我們不如先商量一下再行動吧!」

「怕什麼?左上角有三顆金屬珠,應該可玩三次。剩兩次留給你們。」他不理會我,繼續自顧自連結圖案。

「但萬一……」我的話還未說完,Chris 已走近我身旁苦笑,並做出不用再說的手勢,我猜他的意思是我無法阻止 Vincent,就隨他試一試好了。我之前聽聞他們二人合作無間,果然所言非虛。

想深一層,該裝置的確設有三粒金屬珠,照理不會毫無意義地一次過放出三顆珠。如果機會有三次,那讓 Vincent 隨意玩一次也無不可。事實上,我們開始明白這個怪裝置的運作原理,也是多得 Vincent 主動測試,否則我們仍只是對着它發呆。或許人生就是這樣,我們不能無時無刻都規行矩步,甘願冒險,勇於走出舒適區去闖一闖,才會看到意想不到的風景。

因着 Chris 的建議,我沒再多言。不久,Vincent 已把上下兩排的圖案連結起來,然後興高采烈地按下「START」鍵。

「咔！」「咚。」

　　兩下聲響緊接傳出。我和 Chris 不敢怠慢，走到旁邊探頭窺看結果。

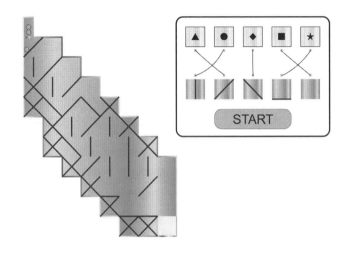

　　從畫面推斷，第一下聲響是放出金屬珠的聲音，第二下則來自金屬珠撞向小木條的碰撞聲。

　　Vincent 眼見金屬珠幾乎沒移動過，遊戲就已經結束，面露不高興的神情說：「誒？這麼快就玩完了？」

　　「哈！」Chris 看到結果後，忍不住嘲笑他道：「你真笨，木條這樣放，彈珠一掉下來就卡住了，自然玩不下去。」

　　「我怎想到那麼多？我只是嘗試一下，都怪你們……」

　　Vincent 的話還未說完，眼前的裝置突然發出「啪」的一聲，膽小的我嚇得向後退了一步。當我回過神來，我看到波子機上的整個面板向後縮了約一節手指的闊度，由於波子機稍微向後傾斜，金屬珠就往後溜進狹縫，被面板後方的黑暗深淵吞噬了。金屬珠消失後，面板中央眾多的小木條也收

回去，印有各式各樣圖案的小方格再次出現，波子機回到最初的狀態，唯一的分別，是左上方的金屬珠只剩下兩顆。

一輪變化過後，Vincent 把剛才的話說完：「我的金屬珠被吃掉了，剩下的就留給你們這些『聰明人』玩吧！」說罷他離開該裝置，不忿地走到我們身後。

我怔了一怔，以為他真的不太高興，不禁擔心起來，但 Chris 走近耳語：「他說笑而已，不用在意。」之後，他還故意向 Vincent 作了個揮手道別的動作，Vincent 則向他翻了一下白眼，我才明白他們的確只是在鬧着玩。

看着他們二人的舉動，我不期然想起了高健。想起來，我和高健以往不是也經常這樣嗎？正如我們在「白色異境」內對抗 Rhea 時，我們也是一邊胡鬧一邊應對，因為心情輕鬆一點，腦筋才會靈活。其實，我和他相識了十多年，為什麼我要質疑他的行動呢？一定是我加入 S 機關後壓力太大，才會胡思亂想吧？早前他凶殘地對待 Titan，背後一定有其原因，我要相信他⋯⋯

「我們去一起研究吧！」Chris 的聲音傳來，把我從思考世界中召喚回來，我們二人就開始一同破解這台波子機。

7

「正如我早前所說，」Chris 率先分析：「上列及下列各有五個圖案，五對五的配對共有 120 個可能性，我們恐怕要花很多時間去嘗試，才能拼砌出正確的圖案。」

不過，我對此說法並不認同：「也不一定，因為有些配對是顯然不合理的。」

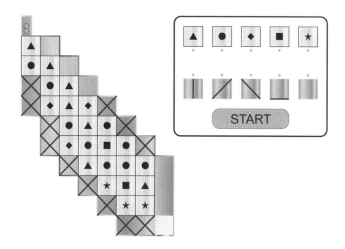

　　我指着波子機的左上角說：「我們的目的，是要把波子
送到右下的槽內，所以第一格將會是關鍵。如果波子一開始
就卡住了或無法前進，遊戲就玩不下去⋯⋯」

　　我的話還未說完，Chris 眼見機會來了，突然搶白
Vincent 說：「否則就會像 Vincent 剛才那樣！」

　　Vincent 聽罷怒瞪了 Chris 一眼，但沒有反駁。為免他
們繼續胡鬧，我拉回正題說：「所以第一格的『▲』圖案，應
該連上『＼』或『｜』。」

　　「為什麼『　』不行呢？」Chris 問。

　　「其實並非不行，然而『　』看來相當實用，一開始就
用掉太浪費了，而且很大機會導致後期『卡關』，還是先保留
好了。」

　　「好。『▲』是『＼』或『｜』，這樣一來，組合就只剩
48 個，但仍有點多，我們怎辦？」

「我想，我們要先假設『▲』是『＼』或『｜』其中一個，再慢慢推敲下去了。」

我在裝置右上的熒幕上把『▲』與『＼』連結起來，波子機一部分的小方格翻轉過後，就成了這個樣子。

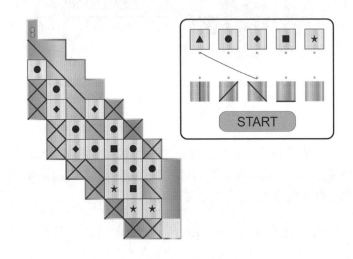

看到眼前畫面，Chris 高興地問：「呀！情況大好！波子能順利滾到中央了。那麼我們接下來要考慮『◆』連結什麼了嗎？」

「對。要令波子繼續前進，『◆』就要連上『　』或『｜』，而無論是哪一個，金屬珠通過『◆』後就會到達『●』，情況就跟『◆』一樣，也要連上『　』或『｜』其中一個。這兩個組合只是為了令波子能繼續前進而已，並不影響大局，我們就隨意把『●』連上『｜』，『◆』連上『　』吧。」

「哦。那接着就到『■』！」Chris 興高采烈地說。然

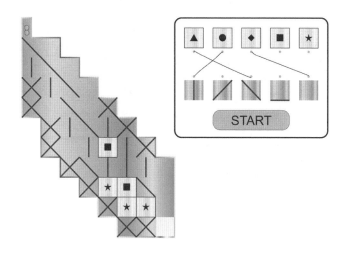

而隨着他盯着波子機的時間漸久，他的笑容就逐漸僵硬起來，他顯然發現碰壁了。

　　我解釋說：「雖然差不多到終點，但接下來無論『■』連去『／』或『＿』，波子都只會滾到一半就完結了。」

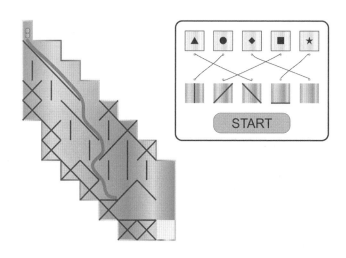

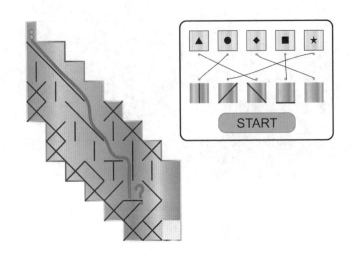

第七章

首探科學館

「那就代表一開始第一格的選擇是錯的了。」Chris 說。

「對，那我們由頭來過吧！」說罷，我把所有連線刷去。

波子機回到起始狀態後，Chris 這次帶領着討論說：「這次我們把『▲』連上『│』。要令波子繼續前進，『●』就得連上『╲』。」

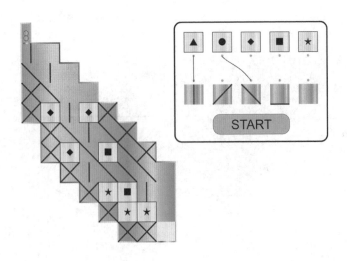

　　我點點頭，他說：「接下來是『■』，唔……」他稍作思考後續道：「雖然『■』接上『＼』或『__』皆可，但考慮到最尾的『★』要用『__』才能把波子引領到終點，『■』就只能接上『＼』。剩下的『◆』就配上最麻煩的『／』，但實際上波子也不會行經那些格。啊！這樣波子應該能到達終點了。」

　　我看了看，覺得 Chris 的想法沒錯，我們就按下「START」。經過一輪推敲，波子終於順利地由起點滾到終點的槽。

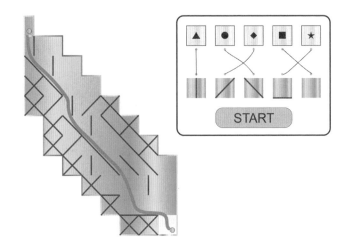

　　在波子到達終點之時，這台裝置的頂端噴出大量彩帶，就像為我們慶祝一樣。然而此刻我們根本高興不來，只想快點找到金教授。

　　我們以為在這之後，什麼機關就會啟動，並提示我們地下室已經開啟。可是，在我們滿心期待之際，裝置右上角的畫面卻突然改為顯示着令人沮喪的訊息──

# 第七章

首探科學館

「藏於館內的『笛卡兒四律』，是打開通往過去之門的鑰匙。」

Vincent 翻了翻白眼，不耐煩地說：「嘖！那是什麼？」

我說：「看字面的意思，我們還得找到『笛卡兒四律』，才能前往地下室。」

Vincent 氣憤地大吼：「不是吧？都解開了波子機之謎，還未能打開地下室的門？」

我安撫他說：「凌博士說過，如果要從外面打開地下室，過程會有些迂迴，似乎的確還有不少步驟。沒辦法吧，這也是為了保護金教授而設。」

Chris 問：「既然說是『笛卡兒四律』，應該是藏在四個不同的地點吧？」

「應該是。」我緊接着建議：「既然最少有四個地點，為了節省時間，我們三人分頭去找吧！」

然而我一提出這個建議，Vincent 及 Chris 大為緊張，Vincent 更高聲反對：「不行！凌博士吩咐過，我們不能讓你單獨行動。」

「但我們剛才不是已在這裏分頭尋找這波子機嗎？」

「這裏沒問題，」Chris 解釋：「因為磁電廊地方有限，我們能互相照應，而實際上我們在分頭搜索期間，也是一直盯着你呢！」

「是嗎？哈哈，我也沒留意到，那……咦？」我的話本來還未完結，但這時我瞄到磁電廊的外邊閃過一個黑影。

我察覺得到那黑影，Vincent 及 Chris 二人比我機警，當然也看到。Vincent 跟 Chris 打了個眼色，就二話不說衝了出去。與此同時，Chris 亦立刻站在我跟前，並着我慢慢向身後的牆壁移過去，以便他能應付隨時在前方出現的突襲。

「放開我，放開我呀！」不一會，一把尖銳的女聲劃破了科學館的寧靜，她似乎就是那道黑影，並已被 Vincent 逮個正着。

對了，我怎麼覺得這把聲音好像似曾相識呢？雖然我們頗接近跟迅子有關的儀器，但應該不會是「既視感」作怪吧？這把聲音，好像是……

在我想到答案前，結果已經揭盅。Vincent 把那名女子抓到我們附近，Chris 則以手電筒照向她，我看到的竟然是熟悉的面孔。

8

我驚訝地問：「Phoebe？你怎麼會在這裏？」

她被電筒照着，因為逆光而看得不太清楚，瞇起一隻眼看了好一會，才知道我是誰，說：「是單車嗎？單車救我，快叫他們放開我吧！」

我雖然未知道 Phoebe 為何會在這裏，但她只是弱質女流，Vincent 這樣用關節鎖抓着她也太過分了。我趕緊說：「放開她吧，應該沒有危險。」

他們二人面面相覷，仍然有點不太放心，我只好繼續解釋並建議：「你們不用擔心，她是我的同學。如果你們不放心，就一左一右站在她身旁吧！」

在我的一番安撫下，他們總算稍為放下戒心，並依我所說如左右門神般夾着 Phoebe。

Phoebe 今日跟平日在大學時的衣着沒有兩樣，同樣是短袖 T-shirt 及熱褲。她「回復自由」，伸展一下手腳後，重重地嘆了一聲：「唉！」

對了，她剛才還未回答我的問題，我只好再問一次：「到底發生了什麼事？你怎麼會在這裏？」

「我也想知道到底發生了什麼事！」她不忿地大叫來發洩不滿後，開始訴說着她的不幸：「我住在附近，自從知道暴民四處搶掠及破壞的消息後，一直不敢外出，但剛才突然有大量暴民衝上來，說我們住私樓的有錢人很可惡，什麼助長地產霸權云云，於是把我們整家人趕了出去，還想追打我們。我們落荒而逃，在過程中走散了，而我就跑到這邊。我見科學館大門開了，於是走進來，剛好聽到聲音過來一看，就被這個胖子抓住了。」

「噗！」我聽到她以胖子來形容 Vincent，忍俊不禁笑了起來，Vincent 不敢對我怎樣，只好瞪了 Phoebe 一眼來表示不滿。其實回想起來，Phoebe 無辜被追趕，以為安全之際又突然被 Vincent 抓着，累積了相當的怨氣也是無可厚非。

Phoebe 接着問我：「那你又在這裏做什麼？」

這個問題對 Phoebe 來說似乎是尋常不過，我們三人卻不期然怔住了。面對這個問題，我們不可能向她說科學館的大門其實是被我們破開，更不能說明真正原因。

怎辦好呢？Vincent 及 Chris 二人勢必不敢胡亂回答，這個謊話看來是要由我來編作了。

「我們……也是剛巧過來避難，哈哈！他們二人是我的鄰居。」

「對對對，是鄰居。」Vincent 附和着說，Chris 也尷尬地點點頭。

「那我們真是有緣分呢，逃難也逃到同一地方。」Phoebe 微笑着說。我以為成功「脫險」之際，她突然發現

了不合理之處，繼續問：「不過，我總覺得他們二人像你的保鑣多於鄰居。你看，他們都一身黑色西裝，逃難又怎會這樣穿？」

Vincent 及 Chris 不禁倒抽一口涼氣，眼睛瞪得比之前更大。可幸是我已動用了腦內的「謊言編寫器」（這不是特殊能力！），我並未有太過震驚，只稍為拖延說：「這個嘛……」然後終於想到「答案」道：「就是因為他們被襲時來不及穿衣服，只穿着內衣褲逃命，但逃出後覺得有點尷尬，於是在附近的洋服店『借』來了衣服。」

「哦，你們好壞啊！『借』衣服！哈哈！」Phoebe 高興地嘲笑着我們，而我們也附和着，勉強地咯咯傻笑。

我們總算胡混過去，不過這又引伸出另一問題：Phoebe 在此，我們要如何抽身去找「笛卡兒四律」呢？Vincent 及 Chris 顯然也想到這個問題，不時瞥向我，等候我的決定。

我在想，既然 Phoebe 逃命至此，我們總不能丟低她不顧。另一方面，Vincent 及 Chris 不會讓我分頭行事，但我們又不可能帶着 Phoebe 一同尋找「笛卡兒四律」。基於這兩點，反正「笛卡兒四律」看來也要花點時間才會找到，我們不如先撤退回基地再作打算。

構思好新計劃後，我嘗試引導 Phoebe 說：「Phoebe，你進來時，還看到外邊停泊了兩輛車嗎？」

「唔……」她想了想後回應：「好像有呀，什麼事呢？」

「咦？那就代表車子停泊了很久，看來沒有用途……這樣的話，既然我們已經『借』了衣服，不如把車子也『借』走吧，我們就能安全離開這裏了。」當然，衣服及車子其實都是我們的，我們並沒有作奸犯科，我只是假裝想到全身而退的方法而已。

# 第七章
首探科學館

「離開這裏？我們要去哪呢？」Phoebe 追問。

「一個安全的地方，避免再受暴民襲擊。」

我說出計劃後，Vincent 及 Chris 已猜到我想帶 Phoebe 回基地。Chris 勸阻我說：「單車，但是我們正……」

「還是性命要緊。我們先去安全地方，有需要再回來吧！」說罷我向 Chris 偷偷單了一下眼，他似乎也想不到其他辦法，唯有暫時勉強接受。

因着 Phoebe 突如其來的出現，我們無法繼續找尋金教授，科學館探秘之旅暫時告終，我們一行四人離開科學館。臨行前，Vincent 偷偷把大門鎖上，避免暴民入侵而令我們稍後折返時會有麻煩。

我們駕駛來的兩輛專車還好沒有被偷去或破壞。參考早前過來時的分組安排，我走近其中一輛建議：「我和 Vincent 坐這一輛，Phoebe 和 Chris 則坐那輛吧。」

Vincent 及 Chris 聽罷慢慢走向所屬汽車，然而 Phoebe 卻在這時提出新的問題：「怎麼不四人坐同一輛呢？坐得下啊！這就能剩下一輛留給物主。」

我不知不覺間套用了高健的口頭禪，在心頭暗嘆：「真麻煩！」Phoebe 太過精明，總是看到事情的矛盾之處，有時候真叫人難以應付。我一向討厭說謊，除了因為性格使然，也是害怕要大話蓋大話，結果沒完沒了。現在現眼報，我又得編作另一個大話！

我快速轉動腦筋，勉強想到一個解釋：「你有聽過『不要把所有雞蛋放在同一個籃內』嗎？既然有兩輛車，我們還是不要所有人坐在同一輛車較好，分散來坐安全點。」

Phoebe 回應：「但人不是雞蛋，有點比擬不倫。」

「但人也是很脆弱的。我們分開坐，如果其中一邊受暴民襲擊，另一邊也能出手協助，不致孤軍作戰。」

「唔……你也說得對……但為什麼我不能跟你坐呢？那兩個『保鑣』自己坐不就好了嗎？」

我擔心 Vincent 及 Chris 會不高興，立刻糾正她說：「都說他們不是保鑣，是鄰居！」我接着解釋：「這建議不行，因為我不懂駕駛。」雖然 S 機關的成員一般都懂得駕駛，但我才加入不久，還未有機會去學。

「這就沒辦法了……」Phoebe 稍稍低下頭說。我以為她已放棄之時，她卻突然抬起頭再次反對：「還是不行！」

「什麼？」我已沒她好氣，有點頹喪地望向她。

她指着原本我將要登上的車子說：「我想坐這輛車，我要跟『小胖子』一起坐，哈哈。」

還好這不是什麼大要求。我向 Vincent 展現一個詭異的笑容，暗諷他有美女相伴，他則沒我好氣地翻了一下白眼，但沒有開口反對。

爭辯總算完結，我和 Chris、Phoebe 和 Vincent 分別登上 S 機關的專車，打道回「府」。

╗

Chris 負責駕駛，我坐在後座。路上，Chris 一邊駕駛，一邊跟我閒聊：「還好你腦筋轉得快，不然我們真的應付不了那奇女子呢！不知道 Vincent 現在怎樣，嘿！」

我說：「Phoebe 只是口多一點，應該不會對 Vincent 怎樣。或者說，如果她對 Vincent 有什麼不軌，Vincent 倒應該高興？哈哈！」

＼＼＼＼＼＼＼＼＼＼＼＼＼＼＼＼＼＼＼＼＼＼＼

## 第七章

首探科學館

「哈哈！」Chris 附和我笑了好幾聲後，轉換話題問：「話說回來，你把外人帶回基地，真的沒問題嗎？不擔心凌博士會反對嗎？」

「唔⋯⋯」這個問題，其實我也不太肯定。

剛才我執意把 Phoebe 帶回基地，一方面是因為她的出現令我們無法繼續尋找金教授，但另一方面，我也是擔心她的安危。事情會發展至暴民滿街，雖然 Cronus 責無旁貸，但爸媽的潛能覺醒計劃也是導火線之一，我實在不忍心看到無辜的人受害。Phoebe 之前已因 Titan 的能力差點窒息而死，現在又被暴民迫得無家可歸，實在太可憐了。

不過，因着 Chris 的提問，我亦想起媽媽在今早對我說過的一番話：「這個 Phoebe，你最好遠離她一點。」雖然媽媽當時否認是因為 Shirley 妒忌才這樣說，但亦有機會是她一心想撮合我和 Shirley。她由「白色異境」一事開始，就跟 Shirley（或另一人格 Michelle）緊密溝通，現在還寄居在她的體內，我很難不懷疑她有私心，雖則我對 Shirley 其實也有好感⋯⋯

咳！我想到哪裏去呢？現在最大的問題，是我把 Phoebe 帶回基地，媽媽會否反對。她會無可奈何地接受？抑或一怒之下趕走她？更進一步地想，如果我把她帶回基地，基地的位置暴露了，說不定媽媽會殺人滅口？

與此同時，我還要解釋為何停止尋找金教授。因為受 Phoebe 騷擾？因為找「笛卡兒四律」需要更多的人力？對了，這個理由比較合理，說不定高健及小勤已回來了，媽媽又有空，我們回基地稍作休息再一起出動，就能分頭行事，迅速打開地下室，事情亦會完美解決。

我一直自顧自思考，並沒有回答 Chris 的提問，這時 Chris 突然再次開口。我以為他是催促我的答案，但我猜錯

了之餘，他的話更嚇了我一跳。他高聲大呼：「單車，你快看後邊！Vincent 的車！Vincent 的車！Vincent 的車⋯⋯」句末他還不能自已地不斷重複。

我知道，冷靜的 Chris 都如此慌張，顯然是出了大事。實際上，在他不斷高呼的同時，我看到身後閃出強烈的火光，而且即使身處車內，我亦感受到背後傳來了一道強烈的熱氣。可怕的事，竟在無聲無息之間發生了！

我的心臟不期然瘋狂亂跳。我吸了一大口氣，回頭一望，竟發現 Vincent 及 Phoebe 的車輛已停在路旁，並迅速起火！

看到眼前景象，我控制不了自己，大聲喝道：「停車！停車去救他們啊！」

我愈來愈擔心 Vincent 及 Phoebe 的安危，因為熊熊烈火愈燒愈旺，已幾乎把他們的車子完全吞噬。更令人擔心的，是起火至今仍未看到二人逃出車輛！由於我們的車子未有停下，我只好不斷重複命令，要求 Chris 立刻停車，可是他並未有照我的吩咐去做。

Chris 用力地深呼吸好一會後，突然迅速地按下儀表板上不同按鈕，並對着前方說：「Vincent 的車突然起火，生死未明。我和單車在另一輛車，暫時安全。請指示行動。」

在這關乎生死的黃金拯救時間，Chris 還花時間向基地匯報情況？我怒火中燒，什麼禮貌都顧不了，高聲喝斥：「指什麼示？我們快回頭救 Vincent 及 Phoebe！」

「Phoebe？」車內這時傳出媽媽的聲音，她原來正在基地指揮。一陣疑惑過後，她竟不近人情地說：「Chris，請盡速離開現場，我們將另派救援隊出動。」

## 第七章

首探科學館

　　我原本已憤怒不已，聽到媽媽見死不救，我再也控制不了自己，連她我也照喝罵：「媽！不要瘋了！是因為 Phoebe 就不去救她嗎？Vincent 也在啊！」

　　媽媽並沒有理會我，只重複一遍指示：「請盡速離開現場，我們將另派救援隊出動。」

　　Chris 按照指示踏下油門，車子加速離開現場。我當然不會就此放棄，繼續近乎歇斯底里地狂呼：「你們全都瘋了！是人命來啊！你們不回去救他們，我就自己跳車！」

　　「轟隆！」就在這個時候，一陣轟然的爆炸聲響徹街道。我深知不妙，再次回頭一看之時，驚覺 Vincent 車子的車頭蓋、防撞桿等零件應聲彈出，爆炸雲及煙霧瞬即籠罩四周，我們遙望只見一團烈火及灰黑的煙，「車子」彷彿已不復存在。

　　情況急轉直下，我倍感焦急，然而 Chris 竟跟媽媽一樣冷漠，淡淡然地勸阻我道：「單車，這是 S 機關總部的命令，你還是不要違抗好了！」

　　「我偏要違抗！」我的言辭不自覺地變得愈來愈無禮：「Vincent 是你的手足啊！你不去救他，我去！懦夫！冷血！」

　　「單車，你冷靜點，我……」Chris 一直表現冷漠，然而這時他終於按捺不住自己的情緒，內心的激動衝破了強裝出來的冷靜，哽咽起來說：「我也想去救他，但……但……你還不明白嗎？你……你才是最重要……」

　　我驚呆了。我不是為 Chris 的反應而震驚，而是為自己的無知及衝動汗顏。因着 Chris 的反應，我才終於明白，媽媽及 Chris 那些不近人情的行動，原來不是冷血、不是棄出生入死的手足於不顧，他們只是把我放在更重要的位置而已。他們自知 Vincent 出了事，但原因不明，為了我的安危才不敢貿然折返，免得我被波及。

　　明白一切之後，一陣既懊悔又傷感的情緒湧上心頭。我怎麼會這麼笨，覺得他們是無情無義之人呢？高健常告訴我，撇除 Cronus 那班早有離心的奸人外，S 機關是着重正義的團隊，擁有成全大局及捨己的精神。我終於明白他所言非虛，是我錯怪他們。我一時之間不懂反應，吞吞吐吐地說：「那……我們……」

　　Chris 延續我的話說：「我們現在回去……其實也沒有用……」說罷他無法壓抑情緒，低聲抽泣起來。

　　媽媽回復溫柔地對我說：「單車，你們先回來吧。」

　　我沒有再說話，或者說，是我不敢再亂說話。雖然我跟 Vincent 只是第一次合作，但我仍感受得到他對 S 機關的忠誠及執行行動時的熱心。他的觀察力也很好，才能在黑暗中找到那台波子機。

　　至於 Phoebe，我對她的感情更深，畢竟我們已經是半個學期的同學。說起來，剛才如果不是她嚷着要跟 Vincent 一起，坐在該車的人就是我，換句話說，她成了我的替死鬼……不，他們一定會吉人天相——這當然只是我一廂情願的想法。然而從客觀角度來看，車子被火海包圍，之後還發生爆作，生存機會恐怕……

　　在餘下的車程，車內籠罩着哀傷的氣氛，我們二人也保持沉默。

10

　　不過，沉默並不會無止境地延續下去。沉默可以緩和傷痛、可以鎮靜人心，卻不能解決問題。回到基地，當我看到媽媽、高健及小勳等人在大門迎接時，我雖然不敢提起有關 Vincent 的事，但我對他們為何如此在意我的安危仍耿耿於懷，不早日拔除這根刺，我的心是不會安靜下來。

# 第七章

首探科學館

我甫踏入基地，門也未關好，已忍不住開腔發問：「到底……」

然而，我的話未能說下去，就被 Shirley 的聲音打斷：「單車同學，你沒事嘛？」

或許是 Shirley 的身體被媽媽佔用了好一段時間，我聽到 Shirley 的聲音時，竟有點不知所措。對了，我明明看到 Shirley 的外貌，怎麼會一開始就認定她是媽媽呢？或許我真是有太多的偏見了。

因着 Shirley 的話，我暫時放低了我的疑問，擠出丁點微笑回應：「我沒事，不過……」

「你沒事就好了。」Shirley 緊張得撲過來擁抱着我。她絕少這麼熱情，看來的確是十分擔心我的安危，才會控制不了而一反常態。可是，不知為何，當刻我卻沒有絲毫興奮的感覺，我反倒因此想起 Phoebe 無辜慘死……

高健這時也走近我，輕拍我的肩膀，對我擠出淺淺的苦笑。男人之間的友情，有時候不用言明，我已從他的行動感受得到。

小勳及其他我稍有接觸過的 S 機關成員，也走近來了解情況。當然亦有不少人如 Gary 去了安慰 Chris，畢竟比起我，他失去手足的打擊更大。

隨着事態發展，我的疑問總算煙消雲散。其實，我為什麼覺得他們一定是有什麼原因才會如此緊張我呢？行動的目的，不一定要如此功利，「情」不可以就是答案了嗎？當刻的我，以為這就是正確答案……

而我受到這件事的影響，好像也忘記了一件重要的事……當然，如果我使用「永久記憶」，我是一定可以記得

起來，但這樣的話，連不快回憶也會一一重現眼前。算了，既
然可以忘記，就隨它忘記吧……

能夠遺忘，有時候其實是幸福的……

Vincent 及 Phoebe，我一定會為你們報仇！

# 第八章　笛卡兒的四律

（本章以高健的視點進行）

\\\\\\\\\\\\\\\\\\\\\\\\\\\\\\\\

# 第八章

笛卡兒的四律

1

「圓圓貓死了。」我本來是打算這樣告訴單車的。不過，他在回程時親眼目睹可怕的事故，Phoebe 及 Vincent 在他的面前死了。事情的震撼性之大，似乎令他暫時忘記了我本應在較早前把圓圓貓接了回來。不過，這就奇怪，單車不是不會忘記任何事情嗎？

單車安全歸來，我稍作安慰後，就先回到房間，換掉全身的衣物，因為我也是剛回來基地不久，褲腳及鞋仍沾滿了血漬及貓毛，衣服或許也會有貓的殘餘氣味，單車看到或嗅到的話，可能會因關聯記憶回想起這件事。為免枝外生節，我還是快點「毀屍滅迹」好了。

老實說，我也不知道應該怎樣向他解釋圓圓貓一事。真麻煩！他記不起來，倒是最好的結果……

我換好了衣服，回到客飯廳時，只看到 Shirley 及小勳。Shirley 告訴我，單車及 Chris 回了房間休息，而我和小勳亦從她口中得知接下來的計劃：找出躲藏在科學館的金教授，並藉迅子的超光速特性改變過去。太複雜的科學我不懂，改變過去象徵着什麼我亦猜不到，但只要能把現在失控局面扭轉過來，應該是一件好事。

照道理，現在外面的局勢愈來愈混亂，我們已沒時間耽誤下去，要盡快返回科學館並打開地下室，確保金教授安全無恙，否則失去了最後一枚棋子，我們就回天乏術。然而知道調查最新進展的人，就只有單車及 Chris，他們二人都受到若干程度精神困擾，我們也不好意思催促他們交代事情經過。我們無奈地只派了少量隊員前往科學館，看守着大門。

不過，我們的成員果然是訓練有素，又或者說，在這關鍵的時刻，他也自知不能沮喪太久。半個小時過去，Chris 已「休息」完畢，回到客廳找我們。

他把剛才在科學館發生的事、波子機的解謎過程、怎樣遇上 Phoebe，以至 Vincent 車輛起火及爆炸的經過，都一一向我們細訴。

在我們對話完結後不久，另有成員向凌博士匯報現場搜救及調查結果。跟我們的預計相若，人是救不了，我們在車上的駕駛座及後座，共發現了兩具燒焦了的屍體。儘管單靠外貌已難以辨認，但由於焚燒的溫度未足以把屍體完全燒成灰燼，我們仍能以部分殘留的牙齒及骨骼，比對成員資料庫，確認駕駛席的屍體的確是屬於 Vincent。至於後座乘客，由於 Phoebe 不是我們的成員，我們只能確認那是一具女屍。

我一直對 Phoebe 沒有好感，但既然現在她死了，什麼負面的感覺也應該如粉筆字般抹去。只是，凌博士仍好像若有所思，卻沒對我說明什麼。

車輛起火及爆炸原因也有結果：車輛被人預先做了手腳，令它行駛一段時間後就會因引擎過熱而起火自焚。據調查，車門也被預先設下的機關鎖上，所以即使是訓練有素的 Vincent，事故發生時也無法及時跳車逃生。

到底是誰在車子上做手腳，不用問都知道是第六國度吧！停泊在科學館外的車子，沒有被偷去，卻動了手腳，怎看也不會是暴民所為。然而第六國度為什麼要採取這麼迂迴的手段，卻不正面襲擊他們，這點是我們暫時想不通的。

算了，這些要動腦筋的麻煩事，還是留給單車及凌博士好了。

2

我們在客廳靜待良久，一直不見單車出來。那臭小子，該不會是因為 Phoebe 而沉鬱這麼久，甚至為她哭泣起來？真麻煩！我們整群人都在等他啊！

# 第八章

## 笛卡兒的四律

我不是說人死不能傷心，事實上，我也為失去了一名認識已久的手足而悲傷，但事有緩急輕重之分，在這重要時刻，什麼情緒困擾等，就待事情完結後再處理吧。或許是我過分樂觀，有時候，我總是無法理解他人的傷痛……

在這百無聊賴而空着急之時，我實在無法什麼都不做，於是抽空向 Shirley 請教：「Chris 早前說，他們解開了那個波子機之謎後，提示說的那個什麼『笛卡兒四律』，到底是什麼呢？是笛卡兒愛吃的四種沙律嗎？」

「噗！」雖然氣氛沉重，但 Shirley 聽到我的提問，還是失笑起來。這個反應，就如我和單車談科學而鬧笑話一樣，他們真有「夫妻相」，連取笑我的動作也一樣……

「啐！」我發出表示不高興的聲音，反擊道：「不要笑了，我就是不知道才問你嘛。不會是他喜歡的四種旋律吧？」

還是年紀輕輕的小勳最好，他為免我繼續胡言亂語，這時率先說：「我知道笛卡兒是名哲學家，他提出了『我思故我在』，但『笛卡兒四律』也是他提出的哲學概念嗎？」

哦！原來「我思故我在」是由笛卡兒提出的，這個我聽過，但……那其實是什麼意思呢？

幸好 Shirley 回應小勳時，順道解決了我心中的疑問，我才不用再次暴露我的無知。她解釋：「對，『笛卡兒四律』也是他提出的哲學概念。笛卡兒除了是哲學家外，其實也是數學家及物理學家，他的成就包括引入了笛卡兒座標系統，並著有《屈光學》，論證了光的折射、解釋人類視力失常的原因及設計矯正視力的透鏡。不過，他最著名的始終是『我思故我在』的哲學思想。

笛卡兒被譽為哲學『理性主義』的創始者，認為人類應當以理性來進行哲學思考。為此，他否定所有既有常識及哲

學，理性地尋找真正無可懷疑的存在。他認為我們所看到的、感受到的，都有可能是錯覺，唯一無可懷疑，就是我們懷疑身邊一切的這個懷疑，導出只有『正在思考的我』是確定不變的存在，由此產生了『我思故我在（Cogito, ergo sum）』這個名言。」

「啊哈！」聽着 Shirley 的解說，我竟不小心打了個呵欠。我習慣了在單車長篇大論時，故意打呵欠來打斷他，沒料到身體太習慣這個動作，竟在 Shirley 面前也照做不誤。

這當然引起了 Shirley 及小勳的注意，Shirley 更皺着眉呼喊了我一聲：「高健同學……」

「抱歉，嘻嘻！」我尷尬地笑了笑，然後自嘲來緩和氣氛：「那笛卡兒何時吃沙律？」

Shirley 的愁眉消失，取而代之的是鼓氣雙腮的忍笑樣子，還好，這就代表她沒有不快。她繼續解釋：「笛卡兒認為，要找到真理，就必須遵守四項規則，包括：小心謹慎、避免偏見的『自明律』、將問題區分成簡單單位來思考的『分析律』、從認識單純的對象逐漸進化到複雜對象的『綜合律』，以及把真理套用在各種事物上作徹底檢查的『枚舉律』。這四項統稱為『四律』。」

「通往真理的四項規則嗎……」我在口中低吟着來鞏固記憶。

Shirley 續說：「據凌博士所知，金教授很崇拜笛卡兒，或許因為這個原因，所以打開地下室的方法正是以『笛卡兒四律』為名。我們估計，『真理』是指金教授或地下室，『四律』則是四條鎖匙。要打開地下室找到金教授，並利用迅子改變過去，就要在科學館內找出四條鎖匙。」

我和小勳點點頭表示明白，我再追問：「不過，科學館說大不大，說小不小。Chris 他們剛才知道波子機是在磁電

\\\\\\\\\\\\\\\\\\\\\\\\\\\\\\\

# 第八章

笛卡兒的四律

廊，也找了好一會才找到。這次的笛卡兒四律，你知道在什麼地方嗎？」

「很抱歉，我也不知道。」Shirley 回答：「凌博士知道首項提示在磁電廊，是因為金教授在最後一次通訊時說的，但凌博士沒料到竟然還有下文，當時並沒有追問下去，而金教授現在又身處地下室之中，聯絡不上，我們對四律的位置可謂完全沒有頭緒。」

小勳聽到這裏，不安地問：「那怎辦好呢？ Chris 說似乎沒有其他提示了。」

「唔……」接下來是有關行動的事，還是我較在行，遂建議道：「我在想，既然只要找到金教授，所有問題就會迎刃而解的話，我們沒有必要繼續這麼小心翼翼及偷偷摸摸。為免夜長夢多，就速戰速決吧。我建議這次我們開燈並分頭搜索，這樣應該……」

我的話還未說完，一陣久違的不安感突然襲向我們眾人，身邊的空氣彷彿凍結及凝聚起來，肩膀上的壓力上升，空氣變得稀薄，呼吸也好像變得有點困難。這顯然是進入了「領域」的感覺！

因着過去的訓練，我立時閉嘴，同時進入戒備狀態。「Shirley」看出了我的異樣，提醒我說：「Titan 已死，說話也沒關係。」這是凌博士的聲音。看來因事態嚴重，她立刻徵用了 Shirley 的身軀，也因着她的提醒，我才記起已沒有閉嘴的必要，還有我如何凶殘地殺死 Titan 的經過……

我沒多花時間去想無關重要的事，趕緊問：「第六國度的人怎會懂得來這裏？」

「你覺得呢？」凌博士這樣反問，當然是知道了答案。我想了想，亦猜到唯一暴露基地位置的可能。

我點一點頭示意我也知道原委，然後計劃行動說：「既然基地位置暴露了，此地不宜久留，我們就一口氣攻進科學館吧！」

「好。」凌博士表示贊成，並拿出通訊裝置，迅速地鍵入指示，基地內的擴音器旋即傳出廣播：「緊急事態，全員撤離基地。行動部 A 隊成員，立刻前往地點 S。」地點 S 是科學館的代號，而行動部 A 隊正是我們等關鍵人物。

在廣播開始的同時，單車朝着客廳奔跑過來，他想必也感受到進入領域的感覺，知道大事不妙而趕來。

他應該聽到廣播，所以我只向單車簡短地說了一句「出發了」。他向我報以一個苦笑，看來已經沒事了吧？

另一方面，Chris 這時氣急敗壞地跑向我們說：「Tethys 率領第六國度的人在基地正門外，你們改用後門逃走吧！我們 B 隊守着大門，替你們拖延時間。」

「Chris，你要小心。」

「放心！我還要替 Vincent 報仇！」Chris 露出堅定的眼神回應，然後就帶同其他手足前往正門迎擊。

我們 A 隊的成員，包括單車、Shirley、小勳、我及兩名行動部成員，合共六人，利用後門離開基地，登上了七人專車前往科學館，再續找尋金教授之旅。

S 機關的其他基地在早前已被第六國度追擊，地點暴露了之餘又受到大規模破壞，已變得無法使用；如今我們僅餘的基地都受到襲擊，我們已經沒有退路，這回可說是不成功便成仁。不過，只要找到金教授，成功改變過去，今時今日發生了的破壞應該都能回復原狀吧？

## 第八章
### 笛卡兒的四律

　　說起來，我其實一直沒問凌博士，如果「過去」真的被改變，「現在」的我們到底會怎樣？我們會回到歷史更改後的一刻重新生活嗎？那現在的記憶又會怎樣？「砍掉重來」？

　　抑或我們會留在「現在」，但因為歷史改變了，「現在」也變成另一個模樣。那我們的記憶又會如何？會被自動修正嗎？

　　還是會有第三種可能？

　　算了，我還是懶得思考如此複雜的事，「船到橋頭自然直」，成功的話，我們自然會知道答案，對吧？

# 第九章　再探科學館

（本章以單車的視點進行）

1

在我感受到進入了「領域」而步出房間，並與高健等人逃出基地之前，我其實並非為 Phoebe 及 Vincent 的死而消沉，我只是想不通媽媽在找到金教授及迅子後的計劃。早前我和媽媽討論之時，我一時間未有察覺到不合理之處，但事後細心思考，卻發現事情愈來愈難以理解。

雖說在理論上及數學計算上，迅子是「可以」存在，但科學家大都認為不可能，因為它的出現將無可避免地破壞「因果律」，並引申出沒有解決方法的「悖論」。

所謂的「因果律」，是指一件事件甲（因）和另一件事件乙（果）之間的關係，而事件乙是事件甲的結果。比方說，我們去開啟電燈的電源，電燈於是亮着。開啟電源是因，電燈亮着是果，這很容易理解，也正常不過。

然而，由於超光速的迅子擁有能夠回到過去的特性，如果以它作為傳遞訊息的媒體，就有可能會出現奇怪的事。

假設我們現在有兩個人甲和乙，分別位於兩個房間 A 及 B 內，而房間 B 的電燈電掣在房間 A 內。

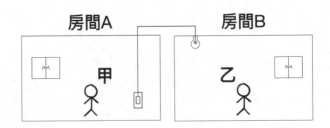

時近黃昏，乙想打開房間 B 的電燈，於是他以正常方法（即並非使用迅子）通知甲，請他代為開啟電燈。一分鐘後，甲開啟電掣，房間 B 的電燈就亮着。事情至此仍很合理。

　　不過，如果乙擁有迅子，事情就會變得複雜。現在，房間 B 的電燈已亮着，乙不想麻煩到甲，於是利用迅子能返回過去的特性，向 30 秒前的甲發訊息，說「燈已亮着，你不用替我開啟了」。30 秒前的甲收到訊息，取消了原本正去為乙開燈的行動，最終沒有開啟電燈的電源。

　　問題來了：那房間 B 的燈到底會否亮着呢？

　　電燈本應在一分鐘後亮着，乙才會向 30 秒前的甲發出「燈已亮」的訊息，然而因為這個訊息，30 秒前的甲又取消了開啟電源的動作，這樣的話，燈照理就不會亮着；但如果燈沒亮，乙就不會發訊息給甲，而是繼續靜待甲開燈，直到甲開了燈，乙才會發訊息告訴他燈已開。這就成了一個沒有解的循環，稱為悖論。

　　產生這個悖論的原因正是迅子，只要能回到過去的迅子存在，無論是在現實還是在意識界中，這種悖論就有可能出現。媽媽現在的計劃，正正會產生同樣的悖論：她計劃在意識界內利用迅子，通知十多年前還未實行潛能覺醒計劃的自己或爸爸，中止該計劃。計劃中止了，Cronus 就沒有計劃可騎劫，覺醒潛在能力的形態形成場亦不會確立，世人胡亂使用能力而產生的混亂就不會發生。可是，如果不是因為出現了這種我們也無法解決的亂局，媽媽就不會想到尋找金教授及利用迅子這一步，沒有這一步，潛能覺醒計劃就會繼續實行，Cronus 最終又會再一次殺死爸媽，騎劫計劃，混亂又再發生──沒有解的循環出現了！

　　要避免這種循環，有三個可能性。一、是因果律從此崩壞，即會出現沒有人開燈，燈仍會自己亮着的情況，但這是難以接受的，世界看來只會變得更混亂；二、是迅子不能存在，人類於是無法跟過去聯絡，這種悖論也不會產生；三、是人類無論如何無法改變過去，即使迅子存在，甚至進一步來說，時空穿梭可行，我們也不能改變過去。

# 第九章

再探科學館

「不能改變過去」這點，又會引伸出兩個可能性：一、就是如字面所說，我們無法改變過去，又或者任何影響也會被修正過去，令歷史不會改變。用回開燈的例子說，就是即使燈亮着了之後，乙向 30 秒前的甲發訊息，燈掣卻依然打開了──可能是因為甲不會取消行動，可能是他不打算去開燈卻仍意外地開了，也可能是第三者丙突然出現代他去做，總之電掣還是開啟了。二、我們看似改變了的「過去」，其實只是屬於其他平行宇宙的「現在」，我們的歷史根本沒有改變，我們的「現在」也自然繼續進行下去。

以上的想法，我實在不敢對任何人說。一方面是因為我猜除了媽媽外，其他人（尤其是高健）應該會聽得一頭霧水，無法理解我的想法；而另一方面，是無論實際的答案為何，也象徵着我們的行動將徒勞無功。你叫我如何說得出口？

我愈想就愈不安，才一直把自己困在房間內不敢外出。

我知道我應該相信媽媽，她不單是專業而有經驗的科學家，還有金教授作後盾，她的理論是不可能出錯，但我亦知道物理學家霍金也提出過時序保護猜想（Chronology Protection Conjunture），認為物理定律不允許時光機出現，引申出我們不能改變歷史。

那或許是我錯了吧？如果我錯了，我們的行動就不會變得毫無意義，這樣才符合媽媽的預想。但如果我錯了，是我的想法中的哪一點出錯呢？這都是媽媽在我加入 S 機關後，親自教導我的基本理論啊！

看來，這又產生了另一個悖論？

2

我們一行人再次乘專車回到科學館。跟上次到達時截然不同，這裏不再風平浪靜，在大門外看守的 S 機關成員正在

跟另一方激烈對抗。我起初以為是第六國度的人，然而我絲
毫沒有進入領域的感覺，那些人打鬥起來亦很「門外漢」。
細看之下，他們只是普通暴民。

我不知道暴民為什麼要攻佔科學館，但我無暇深究，因
為今時今日的暴民，跟平日的普通人不同，他們都擁有各種
稀奇古怪的特殊能力，即使手足們訓練有素及身經百戰，也
難以長時間抵禦。我們於是留下兩名成員協助抵擋，剩餘
的四人，包括高健、Shirley、小勳及我，二話不說就衝入
科學館。

猶幸在手足們的努力下，科學館內似乎仍很寧靜。當
然，我在這刻尚未知道，這是暴風雨的前夕而已。

進館後，小勳利用他的電腦知識及 Chris 早前搭建好的
電子線路，遙距開啟了館內的燈光。這次我們不再摸黑，誓
要速戰速決找出「笛卡兒四律」。

為免錯失任何線索，我們四人先返回一樓的磁電廊，讓
Shirley（及凌博士）也看一看那台波子機及提示。

「似乎真的沒有其他指示了，」Shirley 研究了好一
會後說：「而且這台波子機亦沒有插槽或輸入裝置，這樣看
來，『笛卡兒四律』很可能是四個藏於不同位置的開關，只
要一一啟動，通往地下室的門就會打開。」

我們大致明白接下來的行動，就是在這裏找出四個開
關。我緊接建議：「既然有四個開關，科學館這裏又分成四
層，那很大機會是一層一個。我們剛好有四人，為了能快捷
地完成，就一人一層分頭搜索吧？」

然而我的建議得不到和議，高健及小勳幾乎同聲反
對：「不！」

# 第九章

再探科學館

高健解釋：「雖然我們有手足在大門外抵抗，但萬一失守，暴民成功攻入科學館，我們分散受襲而沒有照應就會很危險。」

儘管高健沒說出「很危險」的對象，但我猜到他是擔心我。在四人之中，我的戰鬥力最低，甚至在 Shirley 之下（因為她有其他人格協助），不要說是有特殊能力的暴民，就算只是平日的一般人，我單打獨鬥的勝算也不高，如果被圍攻就更不堪設想。

我點頭表示明白，並追問：「好吧，那我們要怎樣搜索？」

高健回應：「我建議分成兩隊：Shirley 及小勳一隊，負責搜索地下及一樓；我和單車則為另一隊，負責搜索二樓及三樓。」

我問：「為什麼我要跟你在一起呢？我跟 Shirley 不好嗎？」

「不行。在戰鬥力方面考慮，這組合太弱了，而我和小勳則過強。你這個笨蛋，還是由我來保護較好。」

高健果然是行動部的資深成員，想不到在短時間內已有充分考慮。事實上，小勳的能力是眾人之中最強，只是不能隨便使用，而 Shirley 借用第四人格柳芬的力量，在體能上也絕不遜色。高健選擇保護我，是合理不過的決定。

「笨的是你！」我明白他的想法後，只裝作不忿的頂撞一下他，就回歸正題：「就這樣吧。我們兩隊必要時再用通訊裝置聯絡。」

「好。」眾人同意，我們就分頭行動。

臨行前，Shirley 展現出久違的燦爛笑容，鼓勵我說：「單車同學，加油！」

「你也要加油呢！」

想起來，對上一次我們這樣互相鼓勵，好像已經是三年多前了。

3

分頭行事後，我和高健二人決定趁這裏仍平靜，先走到最高層的三樓，因為先完成搜索該層後，我們回到二樓之時，萬一 Shirley 他們遇上什麼事故，我們要回到下層照應也較容易。而事實上，在科學館的四個樓層中，三樓的面積最小，只有「能源效益中心」及「兒童天地」兩個館。先易後難，對士氣及心態來說也是一個好的選擇。

我們到達三樓後，打算先簡略巡視一下場地，確認兩個館都安全，並順道看看沒有找到可疑物品後，才作地氈式搜索。

我們首先到「能源效益中心」，這裏顧名思義，主要是探討有關能源的問題，當中的展品包括介紹現今全球的能源使用狀況、說明節約能源的重要、提供一些在日常生活中節約能源的建議等。

看到眼前的展品，我不禁慨嘆，為何人類總是不懂得珍惜及保護大自然。眼前有關節約能源的知識，我們小時候都一定學過，但當我們逐漸長大成人、生活慢慢富庶起來後，卻忘記了這些基本的常識。不少人一回到家，就把電燈、電視、冷氣一一開啟，即使不會使用，也懶得關掉。有些人甚至覺得，反正電費只不過是每小時幾毫到數塊錢，不是交不起，犯不着花心機、花精神節約。然而我們日常使用的電力，大都來自非再生能源如煤炭、石油、天然氣，燃燒這些化石燃料來產生電力時，會同時製造出二氧化碳、氮氧化物及揮發性有機化合物等污染物，造成溫室效應及空氣污染。我們每用一度電，其實就等同間接傷害我們的環境。

# 第九章

再探科學館

　　想起來，如果我們一開始就懂得保護環境及珍惜大自然，人類就不會被預言將因環境污染而滅亡，我的父母也不用實行潛能覺醒計劃來迫使人類進化，計劃自然不會被騎劫而失控，導致今日不可收拾的混亂局面。人類今日面對這無可救藥的局面，其實都是自己一手造成的！

　　「呀！」我在思考途中，冷不防間，高健竟以手指向我的腰間一刺，我嚇得整個人彈跳起來並高呼了一聲。

　　我半帶不快地瞪着他，他教訓我說：「你在行動中突然發呆了！」

　　「我不是發呆！我就跟你說過，我沒反應的時間，大都正在思考。」我噘噘嘴，不滿地反擊：「你每次也這樣刺激我，早晚有一次會把我嚇死！」

　　他不太相信我的話，反問：「噴！有這麼容易嚇死嗎？」

　　「很難說，或許我有潛在的心血管疾病而不自知。」

　　「不可能！你加入 S 機關時曾做過身體檢查，健康無恙我們才會讓你加入。」

　　看到高健一臉認真地反駁，我大笑起來：「哈哈！我胡說而已，你怎麼如此認真？」

　　「是你突然這麼認真，說會被我嚇死在先。死這種話題就不要亂說啊！」他說罷別過臉去，好像真的有點不高興。

　　我只是因為被突然作弄，一時氣憤說笑而已，他今日的反應怎會如此誇張呢？為了挽回氣氛，我趁着他看不到我之際，以其人之道還治其人之身，也以手指高速刺向他的腰間。他一向比我更害怕這伎倆，立時大叫起來，並高速彈開，動作大得差點跌倒。

　　我緊接着說：「太過認真的是你啊！你沒什麼事吧？」

「沒什麼。」他淡淡然地回應過後，就沒再說什麼。

我總覺得高健好像若有所思，跟平日比較起來也有點緊張。他的行動經驗豐富，照理不會如此，難道他認為這裏將會發生什麼大事？

我們繼續在這裏看了一會，沒有任何發現，就轉戰「兒童天地」。

我會說「轉戰」，本來並沒有特別意思，只是隨意挑一個跟轉換場地有關的字眼。然而當我們走進「兒童天地」，就知道戰鬥是無法避免，而高健一直擔心的事，似乎也應驗了，因為我們一進入兒童天地，就看到可疑的人。

那人一直盯着展館的入口，甫望到我們二人，就立刻展現笑容，高興地「歡迎」我們說：「可愛的兒童們！歡迎來到『兒童天地』！」

4

我是第一次親眼看到這個人，花了半秒才認出她，而高健因為早已跟她交過手，比我快認出她之餘，亦先開口回應：「Dione，你怎會在這裏？」

有代號「主持人」之稱的 Dione，今日的衣着跟高健上次遇到她的時候一樣，並非身穿第六國度的制服，而是整齊的黑色西裝。她自信地微笑着回應：「你們為什麼會在這裏，我就為什麼在這裏。」

這樣一來，我總算明白外面的暴民是什麼一回事。他們肯定是受到第六國度的唆擺，才會圍攻沒什麼用途的科學館，然後第六國度就能趁外面的手足忙於應付暴民，乘他們大意或留意不到之際，偷偷溜進來襲擊我們。我們一直以為仍然安全的科學館內部，早已暗藏危機。我們到現時為止雖然只看到 Dione，但難保稍後還會遇到更多敵人。

# 第九章

再探科學館

　　不過，最大的問題是，到底他們知道我們的目的嗎？雖然我們突然有所行動，十不離九也是有關阻止第六國度的陰謀，但只要他們不懂得破壞「笛卡兒四律」來阻止我們找到金教授，我們就依然有機會成事。

　　對了，Dione剛才回應高健時，說她在這裏的目的跟我們一樣，這顯然是錯的，因為她絕不會跟我們擁有相同目的：希望改變過去。這就好了！我們還有機會！

　　我為了測試一下我的推斷，故意以嘲諷的口吻回應：「哈哈，真好笑。你的答案已出賣了你，你根本不知道我們為什麼在此！」

　　「你……」Dione以為萬無一失的虛應，竟被我輕易揭破，立刻吞吞吐吐起來：「哼……總之……總之我們來阻止你就沒錯。」

　　我猜對了，她果然不知道我們的目的。我繼續保持氣勢地說，並且借機偷偷觀看這個展館的周圍環境，看看能否找到笛卡兒四律：「是嗎？我們可能只是調虎離山啊！」

　　「哦？」不過，她聽到我的話後，卻突然回復自信地反諷我說：「這次輪到你說謊了嗎？」

　　我因着她的話吃了一驚，剛才的氣勢瞬即消失得無影無蹤。我在想，我說錯什麼了嗎？她怎會知道這回是我倒過來唬她？

　　她乘勝追擊並解釋：「你真是傻瓜。我們第六國度在過去數次跟你們S機關對壘後，雙方的成員都所剩無幾。你們除了在科學館這邊的人外，其餘的大都在基地那邊，這點我們清楚不過啊！」

　　高健看到我處於下風，較熟知形勢的他看不過眼，決定加入反駁：「我們人不多是事實，但你們也不相伯仲，我就不相信你們能一一監視我們的所有成員。」

　　Dione 這時的氣勢更旺盛，大笑起來：「哈哈哈！原來你也是小傻瓜呢！你們似乎忘記了一件事。Iapetus，亦即曾經是你們 S 機關的 Seung，早就跟所有 S 機關的成員接觸過。我們又何須逐一監視你們的人呢？」

　　我和高健疑惑地對望了一眼，因為我們聽得一頭霧水，不明白為何 Iapetus 跟 S 機關的成員接觸過就無須監視我們。我怎樣想，也想不通兩者的關係。高健也不知道答案，只好追問：「那又如何？他背叛 S 機關後，我們的通訊設施已作調整，他照理不可能竊取到訊號。」

　　「竊取訊號？ Oh no！」Dione 一臉驚訝地說。她側側頭疑惑地望向我們，稍為放輕聲問：「原來你們不知道嗎？」

　　我認得出這副表情，正是那些「姨媽姑姐」自以為知道天大的秘密或醜聞，想四處張揚來炫耀自己的情報網，卻又假裝不好意思說的樣子。然而所謂的秘密，大都是「隔壁的陳太昨日跟菜販強哥眉來眼去」之類「小學雞」程度的傳聞。

　　平日遇到這樣自以為是的女人，我一定會故意說「我不知道，亦不想知道」。不過，Dione 知道的事情，或許跟第六國度或 Iapetus 有關，多知道一點事情總不會有害。

　　這時我看到高健正想開口，我擔心他會阻止 Dione 說下去，於是搶先回應：「你知道的東西，十不離九都是無聊的情報，我們才沒興趣。」說罷，我以右手來回擦左眼眉，來向高健暗示我另有意圖。

　　我顯然是用了激將法，因為據高健早前所說，他留意到 Dione 是情緒起伏相當大的人，他因此曾藉着留意 Dione 的反應，輕易地解開謎題。我於是嘗試以說話來刺激她，看看能否令她不小心吐出一言半語。

# 第九章

再探科學館

至於那個擦眉的動作，是我剛想出來向高健作暗示之用。Dione 站在我們對面，如果我以平日常用的眨眼來作提示，意圖太過明顯，對方也會看到。我於是改用這「不合理」的動作來提示——如果我只是一般痕癢，用左手擦左眉就簡單直接得多。

高健看到我的反應，起初輕輕地皺了一下眉，然而不久他又深深地吸了一口氣，並以左手撥了一下右鬢。這個動作跟我早前所做的，很有鏡像的感覺，我就肯定他洞悉到我的意思。一唱一和時間要開始了，呵呵！

「無聊？」Dione 被我們看扁，不忿地說：「哼！我知道的東西一點也不無聊！如果我們沒有方法，又怎會找到這裏來？」

高健故意挑釁她說：「只是你們有狗屎運而已！」

「狗屎運？好笑了，那 Titan 上次又怎會懂得去科技大學找單車？」

我也裝作囂張地回應：「有什麼特別？補課的事全班同學都知道，不是什麼秘密啊！」

「你們……啊！好討厭！」Dione 顯得既憤怒又無奈，跺着腳大叫。一方面，她內心有個重大的秘密很想跟人分享，但另一方面她又不能說。我知道這種女人不會太口密，從她的反應來看，我們已把她慢慢逼近脫口而出的狀態了。

我當然不會錯過機會，進一步刺激她說：「原來第六國度根本就沒特別方法！」

高健亦順勢和應：「嗯，他們只是好運而已！」

「我們不要理她，繼續我們的行動好了。」

　　「對，我們稍後逃出科學館後，她就找不到我們，呵呵！」

　　「討厭！討厭！討厭！」Dione 激動地放聲大叫：「不要天真！你們無論逃到哪裏，我們都一定會找到你們！」她緊握頭拳，身子也激動得微微發抖。

　　「我才不相信喲！」「我也不相信呢！」

　　「可惡的小鬼！你們不信也沒關係，因為我們用……」Dione 快要說出方法之際，又突然收回說話：「嘖！這是不能告訴你們的……」

　　「都說只是靠運氣啊！」「不能告訴我們就是沒有啊！」「對啊！隨意說說的話，我說我有過千萬身家也可以啊！」「我也有三間豪宅。」「我亦有六塊腹肌。」「哈哈！」「哈哈！」

　　在我和高健你一言我一語的傻話下，Dione 為了死守着秘密，氣得臉也漲紅了，只能以大叫發洩：「臭小孩！臭小孩！臭小孩！」

　　氣球吹得太漲，橡皮終究會承受不了拉力而爆開，我猜距離臨界點已不遠了，加重力度說：「你這種只懂叫春的老女人，難怪會被電視台摒棄，要投靠第六國度！」我知道我的話有點過分，但為了得知第六國度的秘密，只好狠心一點。

　　Dione 近乎歇斯底里地大喊：「我才不是老女人！我不是被電視台摒棄！可惡！我不替他們守秘密了！」

　　我和高健二人聽到這話後，立刻集中精神望着她，但同時又不敢收起剛才的嬉皮笑臉，免得引起懷疑。我們僵硬地強顏歡笑，笑容開始微微顫抖着，趣怪十足，卻令我們非常擔心因此而露餡。

　　猶幸 Dione 已近乎失去理性，她不顧一切地洩密：「我們有 Iapetus 的特殊能力『定位探知』，所有他曾經親眼見過的人，都能一一知道他們現在的位置。他作為 S 機關的叛將，舊有的成員他當然都認識，新加入的如單車、Shirley 及小勳，他亦在三年前的 S 機關成員選拔賽現場見過，所以你們任何一個人都逃不出他的偵測。我們因此知道你們二人在上星期六到了科大，以及你們現在派了大量的成員來科學館。看！我是真的擁有秘密啊！哼！」

　　因着她這句話，我想起在剛才前來科學館的車程上，我們曾分析現時的形勢。高健已預料我們此行可能會遇上第六國度的阻撓，分析指他們現時剩下的核心成員有 Iapetus、Rhea、Tethys、Dione 及 首 領 Cronus。 至 今我們曾跟 Dione 交手，而 Rhea 因為是前 S 機關成員，並在脫離組織前已覺醒了基礎能力，凌博士已推測出她的高階能力及準備好以她的弟弟小勳應付，所以就只剩下 Cronus、Iapetus 及 Tethys 我們仍未有應對之策。

　　雖然 Iapetus 也是前 S 機關成員，但他在背叛 S 機關前沒有特殊能力，故 S 機關亦不知道他在形態形成場確立後覺醒了什麼能力，現在總算真相大白。照 Dione 所說，Iapetus 即使是在覺醒能力前見過的人也有效，我們 S 機關所有人的行蹤似乎都難逃監測。

　　知道這實情後，我們反而能放下其中一塊心頭大石，因為「定位探知」雖然對掌握我們的動向很實用，但這能力就跟我的「永久記憶」相似，只屬輔助性質，在實際戰鬥中幾乎沒有用途。我們在科學館這事已曝光，但也同時代表這能力再沒有作用，我們要顧慮的第六國度核心成員就少了一人。

　　高健聽罷這個秘密，似乎也不以為意，甚至有點高興。他保持着剛才的氣燄，諷刺 Dione 說：「原來秘密只是這樣。」語後他更做出一個誇張的噘嘴表情。

　　儘管我們一直刺激 Dione，但我只是希望驅使她吐出秘密，而我們的目的已達成。聽到高健這句話時，我的心不期然亂跳起來，擔心 Dione 會做出難以預測的事來，畢竟女人是不能過分刺激，尤其是情緒化的女人。

　　不過，我並沒有時間擔心太久，因為令人憂慮的狀況已立刻出現。正因為高健這一記行動，我們的囂張終於遭到反噬。

5

　　「你們真是討厭至極！」Dione 仰天大吼：「不告訴你們，就說我是叫春的老女人；告訴你們，又說不外如是。小孩果然很討厭！我本來不打算再用，但我決定改變主意，我要殺了你們！」

　　高健感到事情不妙，已立刻轉身想往後退。可是，我們距離 Dione 實在太近，而她這次的行動又極為迅速，我們還未來得及退避，Dione 的雙手已高速揚起，並同時大喊口令：「It's show time！」

　　一陣怪風應聲撲向我們，氣氛亦頃刻凝重起來，無形的壓力重重地落在我們的肩膀──Dione 的領域生效了。

　　高健皺起眉頭，一臉煩惱地說：「這次麻煩了，我們都被困在『遊戲會場』內，看來不戰勝她是不行的了。」

　　我附和着說：「嗯，這樣的話，我們先通知一下 Shirley 吧。」

　　說罷，我們二人也把手伸進褲袋，利用通訊裝置，通知附近的手足我們遇上了第六國度的成員，好讓其他人（尤其是 Shirley 及小勳）有所提防。

第九章

再探科學館

Dione 看到我們的詭異動作，立刻對我們說：「想找救兵嗎？高先生，我上次就告訴過你，除非你們能完成遊戲，否則誰都無法進出這個領域。」

既然 Dione 舊事重提，高健決定不讓 Dione 自以為了不起，也故意提起她的糗事：「是嗎？但上次的遊戲還未完結，主持人就夾着尾巴逃走了！」

Dione 怔了一怔後，不忿地回應：「我沒有尾巴，才沒有夾着尾巴逃走！上次只不過是我趕時間，今次你不會這麼好運！」

這顯然是無力的反抗，高健當然不會就此放過她，繼續追擊說：「但正因為你逃走，我才趕得及回去殺死 Titan，而你亦損失了兩個『關卡』，我實在要多謝你呢！」

「我……你……」Dione 無力還擊，吞吞吐吐起來。然而不久，她又從高健的話中聽出了什麼端倪，緊張地追問：「你說『關卡』？即是你們已經知道我的秘密？」

「對，你的一切，包括你的背景、喜好，甚至身材，我們都一一知道。」高健打趣過後，回到正題說：「當然，有關你的特殊能力，在上次交手後，我們也與資料庫比對過，已推斷出能力的詳細效果及使用限制。」

我看高健說得如此高興，我也加入並模仿《聖鬥士星矢》的對白說：「同樣的招式，對 S 機關是沒用的！」

高健對我的冷笑話翻了一下白眼，反倒是 Dione 咯咯大笑起來。不過，這顯然並非因為我的冷笑話，因為我從她的笑聲中，感覺到無比的陰沉及奸險。

高健覺得事情有點不尋常，立刻認真地問：「你笑什麼？」

　　「嘿，笑你們天真啊！」Dione 回復自信地說：「原來你們這麼有恃無恐，就是因為知道了我的能力而已？我才不會這麼傻，以相同方式使用同一招式呢！」

　　我們一直以為，Dione 再次使用「遊戲會場」，規則必定會跟上次未完的遊戲相同。上次是「小學數學問答遊戲」，高健一人應付或許有點勉強，但現在我也在場，照理可輕鬆完成。不過，如果她能改變規則，事情就麻煩得多了。

　　高健不滿地爭辯：「上次的『小學數學問答遊戲』還未完結，你怎能私下更改規則？」

　　「我沒更改規則，只是把規則稍為『優化』而已。」

　　「這即是『搬龍門』！可恥！」高健氣得破口大罵。

　　「你即管罵吧，反正只要我夠厚顏無恥，像某些高官般堅決不改變主意，你又奈得我何嗎？」

　　「你！」高健差點就想衝上前痛毆 Dione，幸而被我阻止了。我安慰他說：「沒事的，我們應該能完成的。」「應該」兩字我本來不想說，但在實際上看到新的遊戲內容前，我也不敢太肯定。

　　我們二人沒再說話，Dione 就回復主持人的風度，開始主持遊戲。這時在我們的面前，Dione 所站立的位置及其附近的地面，倏地上升至膝蓋的高度，Dione 現在就像站在舞台上一樣。她接着說：「歡迎高先生再次來臨，也歡迎單先生新加入遊戲。早前高先生成功完成了兩道數學謎題，實在非常之厲害，所以……所以……」Dione 這時故作拖延，並反問台下的我們：「你們猜，接下來會怎樣？」

　　高健氣憤地短促回應：「少浪費時間！」

＼＼＼＼＼＼＼＼＼＼＼＼＼＼＼＼＼＼＼＼＼

**第九章** 再探科學館

Dione 開始「主持」遊戲後，比早前的反應平穩得多，她不慌不忙地說：「參加者不用這麼趕急，我們的遊戲是不設限時的。不過，我也明白你們的心情，因為接下來的就不再是謎題了！」

她再一次欲言又止故作神秘，令我也不期然緊張起來。「優化」了的「小學數學問答遊戲」即是什麼呢？不是謎題，那又是什麼關卡？「優化」這種「匪語[7]」實在令人討厭！

在我思考期間，出乎意料之外，我們頭上突然飄下色彩繽紛的彩帶，與此同時，Dione 興奮地大叫：「恭喜你們小學畢業了！」

6

我和高健不明所以，半帶疑惑半帶驚訝地盯着 Dione。她看到我們的注視，竟展現出發自內心的興奮笑容，正式開始說明即將要發生的事：「接下來的依然是數學關卡，但由於你們已小學畢業，所以將會是大學級數；這關亦不再是謎題，而是名為『雙重遊戲』的超難關。高先生及單先生到底能否成功通過呢？實在令人期待。」

高健對 Dione 怒目而視：「我們一定會成功完成。」

「是嗎？你囂張多一會吧，很快你就會哭着來求我放過你呢！」

「哼！」我倆幾乎同時以冷哼回應。看到如此合拍，我們交換了一個自信的微笑。太好了！我和高健仍然是合作無間的好兄弟。

「我現在開始說明『雙重遊戲』的玩法。」Dione 沒理會我們，逕自開始遊戲說明：「這個關卡『雙重遊戲』，顧名思義，就是包括兩個遊戲，而兩個遊戲將同時進行。高先生及單先生每次需各自選擇進行哪一個遊戲，而兩個遊戲的對手皆會是我。

遊戲將分局進行。過關方法很簡單，只要參加者『全破遊戲』一局，即可通關。至於『全破遊戲』的定義，則是參加者在同一局內同時勝出兩款遊戲；假若只勝出其中一款而在另一款中落敗，又或者兩款遊戲皆落敗，該局就算無法『全破』，須重新開始下一局。

關卡的基本規則大致上就是這樣。在我說明那兩款遊戲的規則前，你們有什麼問題嗎？」Dione 問。

「有，」我搶着回應：「你剛才說，我們只要『全破』一次就算過關，那過關失敗的條件呢？我們可挑戰多少次？」

「好問題！」她稱讚我後，單手撐着腰說：「你們可作無限次挑戰，即不會過關失敗，中途有需要的話，也可要求暫停遊戲休息。唯一限制，是你們在通關前不能離開會場範圍。」

「誒？」我和高健再一次幾乎異口同聲詫異地說。我們的反應是理所當然的，因為我們知道 Dione 的能力使用限制後，就擔心到底小學數學問答遊戲的最後一道問題會如何不合理，而現在問題改成了遊戲，照理亦會非常困難，又或者極輕易輸掉。可是，Dione 竟然說可無限次挑戰？這已經是「遊戲會場」的最後一關了，怎麼可能？

我一臉狐疑地追問：「我們可無限次挑戰，不就一定會過關嗎？」

「哈哈！所以我就說你們天真！無限次挑戰就一定會過關？如果遊戲本身是不可能完成，任憑你們如何努力，也不可能通關啊！」

儘管她一臉自信，甚至帶點鄙視我們的眼神來回應，我和高健對此話仍只是半信半疑。不過，當她開始說明實際要進行的遊戲後，我就感到事情不妥，也明白她為何如此自信……

「網絡用語」意指一些來自中國大陸的字詞，這些字詞多屬自創新詞，飾縮語或語義含糊的字詞。有意見指多用會令話言流於空泛、令文字失去力量。常見的「匣語」有打造、抓緊、到位、深化、加大力度等。文中的「優化」亦是例子之一，在不同的語境中，可以取代「優化」而語義更準確的詞語有：改善、改良、改進、提升、完善等。

Dione 眼見我們沒再提問，就繼續為即將要同時進行的兩個遊戲作解說：「你們要進行的兩個遊戲，分別名為『數八』及『豆芽遊戲』。我先說明前者。

『數八』的玩法非常簡單，我們由數字『一』開始，每回合輪流加大及喊叫數字，每次最少加一，最多加三，直至其中一名玩家數到『八』，就是勝利者。你們之前也可能玩過相似的遊戲，應該不難理解吧？」

我聽着之時，不安的感覺頓時湧上心頭。Dione 說得沒錯，這遊戲的確很簡單，但正因遊戲太過簡單，所以有明確的「必勝法」⋯⋯

「至於『豆芽遊戲』則較複雜。」Dione 的右邊這時升起了一個半透明的熒幕來協助說明：「在遊戲開始時，畫面上會有兩點。之後，我們每回合輪流在圖上加一條線。這條線的兩端可以連接兩點，也可以連在同一點上。」熒幕這時配合着說明，顯示出例子。

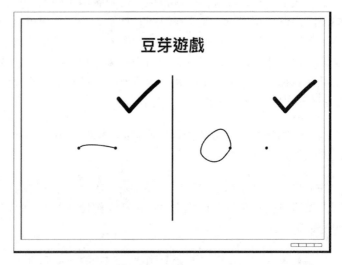

「而且，這條線無論有多長都沒問題，也可不斷拐彎。可是，它不能穿過圖上其他的線及點，而每點最多亦只能與三條線相接。」

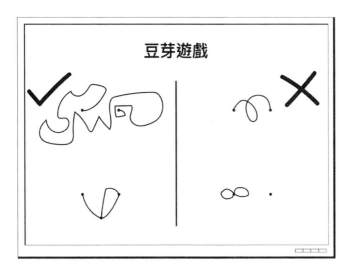

「每次新增連接線後，該玩家亦要在新增的線段上任意加上一點，這樣就算完成一個回合。遊戲繼續進行，直到玩家無法再在圖上添加新線，遊戲就結束，而最後一名新增連接線的人就勝出遊戲。『豆芽遊戲』由數點開始，一直玩下去，圖案就如小嫩芽不斷成長，所以由此得名。

兩個遊戲的規則我都說明過了，你們有什麼問題嗎？」一連串的說明過後，Dione 以提問作結。

7

高健認真地望向我，似乎打算把提問的責任交給我。我留意着他的表情，他沒有皺眉、沒有傻笑，只直直地望着我，他看來也大致上明白規則。規則方面我自然也完全理解，唯一的問題是遊戲的次序，因為「先手」抑或「後手」，將非常影響賽果。我於是問：「如何決定每局的先後呢？是抽籤還是每局輪替？」

我會有此考慮，是因為「數八」是個有必勝法的遊戲。由於遊戲規定，每人每次加大數字的範圍是一至三，這就代

\\\\\\\\\\\\\\\\\\\\\\\\\\\\\\\\\\

表先手加大數字後，後手能作出調節，令雙方合共加大數字的值是「四」。比方說，先手加一，後手加三，合共就加大了四；先手加二，後手加二，也成了四，如此類推。「八」剛好是四的倍數，而數到八的人就是勝者，這就代表後手除非計算錯誤，否則是必勝無疑的，因此遊戲的先後相當重要。

「從你的表情看來，你應該明白遊戲的關鍵所在了。既然如此，你認為我會這麼便宜你們，讓你們當後手嗎？」Dione 聽到我的提問後，再次展露出奸險的神色回應：「在遊戲開始時，你們二人都是先手，而且一直都是！」

「喂！這不公平！」高健不忿地大叫。他顯然也明白「數八」是後手必勝，不滿地問：「那我們怎可能『全破』過關？」

「所以我就說，即使不限失敗次數，你們也可能永遠都不能破關。嘿嘿！」冷笑數下過後，她回復「正常」地繼續主持下去：「遊戲說明過後，現在是商討時間，你們可以把握機會討論一下遊戲策略及你們負責哪個遊戲等。時間不限，你們準備好，可以正式開始遊戲時再叫我吧！」

說罷她逕自退到一旁，地面這時突然打開了一個小洞，一張半透明的粉紅椅子由該處升起，她就坐在那裏休息。

雖然我不願意多花時間在這場遊戲上，但我們此刻的確需要從長計議，才有脫身的機會。高健這時亦急不及待把我拉到一旁問：「單車，連我也知道『數八』是個後手必勝的遊戲，我們怎辦？『豆芽遊戲』也會這樣嗎？」

我未有答案，只好照直回答：「我之前未玩過『豆芽遊戲』，一時間仍未想到會否有必勝法，但該遊戲同樣相當簡單，而且 Dione 信心滿滿地說我們可能永遠不能破關，極有可能連『豆芽遊戲』也是後手必勝的遊戲。」

「那我們不就一定會輸，永遠無法離開這裏？」

　　此刻我亦有點動搖，只嘆了一口氣而沒有正面回應。

　　「這就引伸出下一個問題了。」高健繼續問：「由於第三關是最後一關，遊戲一旦開始了，Dione 就不能再使用口令『Time out』來暫停。我們不能完成，她亦無法離開這裏，為什麼她要這樣做呢？」

　　「我估計，她這次跟上次在科大出現的目的一樣，就是要引開我們。既然她可以順利潛入科學館，其他第六國度的成員也可以。或許對於第六國度來說，相比起我們二人，Shirley 和小勳易應付得多，所以打算把我們分散，再逐一擊破。又或者……她本來並不打算這樣做，只是我們剛才惹怒了她，她才失去理智亂來。」

　　「不是吧？女人真是麻煩啊！」高健苦笑着說。

　　「如今我們也只好想辦法應付了。」

　　「這點我明白，但……」高健皺着眉，憂心忡忡地說：「但到底要怎樣做才能通關啊？我們是先手的話，兩個遊戲都看似必敗無疑。」

　　我們也不能一直消沉下去，我安慰他說：「放心，我一定會想到辦法的。反正輸了沒有後果，而且能不斷嘗試，我們不如早點開始，一邊玩一邊想辦法吧？」

　　「好。」高健終於稍為回復精神，堅定地回應。

　　話雖如此，其實我仍未肯定是否真的能找到破綻……

　　8

　　「雙重遊戲」正式開始。Dione 的左邊升起多一個熒幕，讓「數八」及「豆芽遊戲」分別在左右兩邊進行。

　　我們二人無奈地走到台上。經商量後，高健負責較容易的「數八」，而我則負責「豆芽遊戲」。雖說我們一人負責一個遊戲，但過程中我們仍能看到對方的狀況，也能互相溝通。

　　我們二人皆是先手。高健那邊的「數八」相對簡單，思考的空間亦有限，他於是選擇了最簡單的「一」，左邊的熒幕亦應聲顯示出數字，等待 Dione 的回應。

　　在我這邊的「豆芽遊戲」，則利用右邊的半透明熒幕，直接以觸控方式進行。回說遊戲本身，我起初以為變化相對大得多，然而細心思考過遊戲的各種可能性後，卻發現開局的選擇其實比起「數八」更少。由於在遊戲開始時，畫面上只有兩點，而玩家接下來要畫的一條線，根據規定，該線要把其中一點自我連結或把兩點互相連起來。基於左右對稱的關係，開局其實就只有兩個可能性。

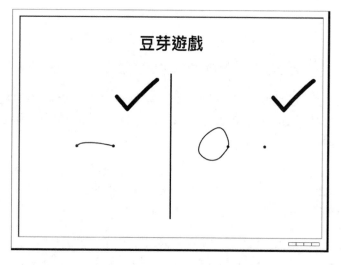

豆芽遊戲

　　既然我們可不斷嘗試，而且我們亦未想到如何突破「數八」的必輸局面，我也選了看來較簡單的連結方式，把兩點連起來。

　　我和高健的回合完結，就輪到 Dione。果然不出我們所料，她在「數八」中，把高健所選擇的「一」加大了三，變成了「四」，這樣到下一輪，無論高健怎樣做，她都可以叫喊至「八」，順利勝出遊戲。至於我這邊的「豆芽遊戲」，她則把線的兩端連起，形成了如橢圓形的圖案。

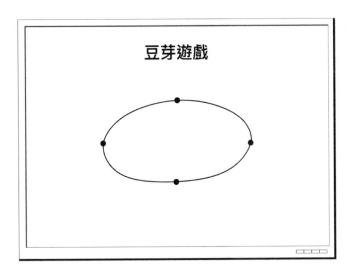

Dione 的行動完結，又輪到我們二人。高健那邊已經沒有希望可言，他隨意把數字加大二至「六」就算了。

在我這邊，我留意到圖形上的四點都只連接了兩條線，根據規則，一點可連接最多三條線，換句話說，現在圖上的任何兩點都可以互相連結起來，但不能自我連結。我於是繼續採取最簡單的戰術，把那個橢圓形分成兩半。

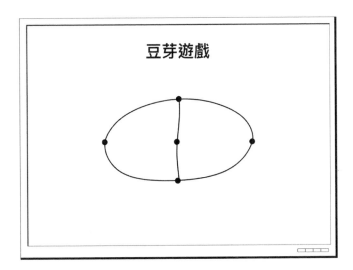

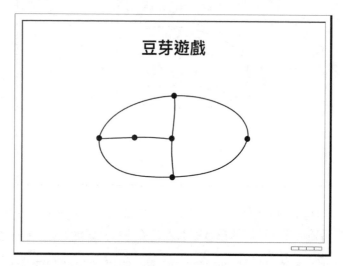

又輪到 Dione。她再把數字加大二，成功喊到「八」勝出「數八」，而在「豆芽遊戲」中，她二話不說就畫成如甲蟲般的圖案。

我細心研究着這個圖案。經過四個回合後，畫面上合共有六點，其中四點已連接上三條線，根據規則不能再用。剩餘的兩點雖然只連接了兩條線，理論上仍可使用，它們卻被其他的線完全分隔開，也就是說我已經不可能再畫上再多的連接線了。所以 Dione 剛畫上的線就成了最後一條，代表她也勝出了「豆芽遊戲」。

我不忿地向她翻了一下白眼，她明白我認輸了，正式宣布：「主持人同時勝出兩個遊戲，參賽者第一局過關失敗。」

「雙重遊戲」的第一局就這樣結束了，我和高健可謂輸得一敗塗地。

┐

接着進行第二局「雙重遊戲」。我們二人負責的遊戲不變，同樣是先手，所以在「數八」方面實在不可能有什麼懸念，不作詳述。

　　經過第一局後，我已肯定我在第一局「豆芽遊戲」開局時，把兩點連起來是必輸無疑。這是因為我回想起我剛才在第三回合時，其實還有另一個可能的畫法，但即使是那樣做，Dione 在下回合仍能畫上決勝負的連接線。

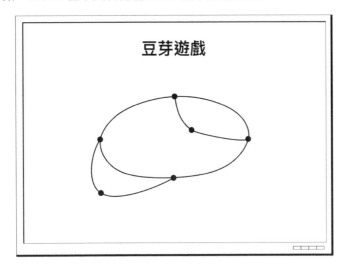

　　基於這個原因，這回我嘗試了新的開局方法，把其中一點自我連結起來。

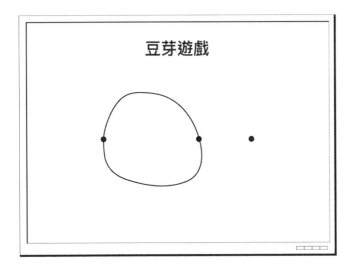

這次圖形看起來有點古怪，我暗喜了半秒，以為有機會打開缺口。可是，Dione 竟比上次出手更快，想也不用想就畫上新的連接線及點，還故意把線畫得異常曲折來嘲諷我。

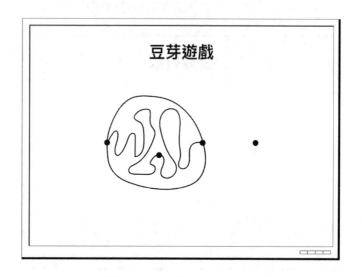

望着這個畫面，我的心頓時沉到谷底，因為遊戲已等同完結了。左邊的圓形雖然有三點，但外邊的兩點已連接了三條線不能用，中間的一個又被重重包圍同樣廢掉。換句話說，我就只能利用右邊的點。

然而當我把右邊的點自我連結起來的話，不就會重複左邊的情境嗎？ Dione 只要再一次把兩點在圓內連起，剩餘兩個仍活的點被分別困在左右兩個圓形之中，無法連結，遊戲也就完了。

敗局已定，我悻悻然地投降。結果第二局遊戲結束得更快、更無懸念。

經過兩局之後，實驗證明「豆芽遊戲」跟「數八」一樣，都是後手可以隨意控制勝負的遊戲。

以數學方法推理也會得出同一結果：「豆芽遊戲」由兩點開始，而每點最多可連接三條線。我把可連接一條線的狀態簡稱為「命」，那就代表在遊戲開始時共有「六條命」。在每回合，玩家新增的一條新線會減去兩條命，而在線上新增的點就會加一命，減二加一，等於減一，這就代表每經過一回合，圖上的豆芽就少了一條命。當遊戲一直進行至剩下「一條命」時，遊戲就必然結束。六減一得五，換句話說，以兩點開始的豆芽遊戲，最多只能畫上五條線，也就是說第五回合是遊戲的必然終點。

不過，後手卻有可能把這個終點提前，只要後手巧妙地令遊戲進行到第四局時，有兩個仍有一命的點被線分隔開即可，就像早前的情況一樣。反之，若後手讓新增的點盡量外露，就有可能玩到第五局。當然，Dione 不想讓我們勝出，是

＼＼＼＼＼＼＼＼＼＼＼＼＼＼＼＼＼＼＼＼＼＼＼＼

# 第九章

再探科學館

絕對不會這樣做。而實際上，即使她不慎出錯，讓我們僥倖贏出「豆芽遊戲」，我們仍會在「數八」中敗陣，依然無法全破過關。

接下來，我們進行了遊戲的第三及第四局，但根本不值一提，只不過是首兩局的「翻版」，我們繼續慘敗。

高健被迫進行沒有勝算的遊戲，又接連敗退，在第四局完結後怒氣沖沖地要求暫停。我沒有意見，反正未有頭緒，休息一下也不壞，只是沒料到我們兩邊竟對話起來。

10

我們二人從台上走下去，才剛回到地面，高健一時氣上心頭，按捺不住，突然轉身對 Dione 大喝：「夠了！你把我們困起來，迫我們一直重複進行必敗的遊戲，到底有何居心？你為什麼要這樣做？」

Dione 明白以高健現在的情緒，遊戲根本玩不下去，她也走到台下，平靜地解釋：「因為我喜歡當主持。」

高健並沒被她的平靜感染，繼續不滿地發洩：「這與我何干？你喜歡當主持是你的事，不要把我們拖進來！你有想過問題有多大嗎？我們一直無法勝出，你也會被困在這裏無法離開。」

「你不用擔心啊！如果你要食物、睡覺或上洗手間，在『遊戲會場』內我可以為你們安排。」Dione 右手一揚，場邊立刻升起了一個在郊外常見的臨時洗手間，然而洗手間的牆壁卻是半透明的……

她繼續遊說我們：「留在這裏，比外面那個混亂的世界更安全呢！」

　　高健當然不會如此輕易就被說服，他反駁道：「不！外面是真實的世界，這裏卻是虛假的安逸。我們回到現實，自然會找到解決問題的方法。」

　　「解決問題？」或許 Dione 一直被高健怒斥，早已心有不甘，這時大家離開了舞台，她態度一轉，冷哼一聲，不屑地回應：「你認為人類的問題真的能夠這麼輕易解決嗎？在過去的千百年來，人類都是如此頑劣；隨着科技進步，在工業革命後的惡行更有增無減，早已威脅到大自然及其他物種。你看，即使溫室效應已如此嚴重，各國就二氧化碳排放還是爭議不斷。說穿了，人類都是自私的，只顧享受而不願付出。」

　　「哦，我明白了！」高健追問：「所以第六國度就想藉着令潛能覺醒計劃走向失控的局面，令既有權力架構土崩瓦解，從而改變腐敗的現狀？」

　　「你只猜中了一半。把既有權力推翻只是第一步，但我們無意懲罰在位者，因為那些人死不足惜，根本不值得我們浪費時間處理。不過，你沒猜錯，我們其實也是為了人類着想。」

　　話題在不知不覺間，已由遊戲轉移至第六國度的目的，高健本來稍為平復的情緒，又再一次高漲起來。他不快地喝道：「呸！你們口口聲聲說是為人類着想，但這樣做會死幾多人，你們知道嗎？」

　　Dione 翹起雙手，狀甚高傲地教訓高健說：「歷史上沒有一場變革是不用流血的；要改變，就要付出代價。難道你天真地以為，和平理性地遊行、靜坐、抗議、大合唱，就能改變政權？那些人為了背後龐大的利益，連作奸犯科都不怕，又怎會因為一言半語而輕易動搖？沒有跟他們拚死的決

# 第九章

再探科學館

心，是不可能成功的。我們的敵人是全世界的政權及既得利益者，不跟他們玉石俱焚，你教我們怎樣成事？」

「但……」高健一時間為之語塞。

Dione 說得興起，繼續追擊：「你們 S 機關就是太善良，總是想在有秩序下慢慢改變，然而情況已經不容許我們慢慢來。想起來，Cronus 大人騎劫你們的計劃真是做得太好了。」

「你們瘋了！總之……總之有人死就是不好！」高健說不過她，只好搬出大道理來辯護。

「對呀！讓全宇宙的生命都獲得幸福才是最好嘛！」Dione 亦不甘示弱反駁：「哼！傻瓜！你們現在自身都難保，還考慮外面的人？」

遊戲一暫停，他們二人就辯論得面紅耳熱，我本來無意介入，然而 Dione 既然提起第六國度的目的，我覺得這是最適合的時機追問下去。我加入問：「那麼，你真心認同第六國度的做法嗎？」

聽到我的提問後，出乎我意料之外，Dione 突然收起剛才跟高健對嘴時的嚴厲及傲慢，反而走近拍拍我的肩膀，微笑着回應：「我是否認同並不重要，重要是他們幫到我。」

我留意到她說起這句話時的微笑，跟不久前回答高健說「我喜歡當主持人」時一樣，顯然是發自內心。另一方面，我知道 Dione 對第六國度並不算忠誠——高健說過，當日他完成了「小學數學問答遊戲」的兩道謎題後，Dione 就為了自己而急忙撤退，才令他有機會從 Titan 手上救回我；不久前她為了炫耀自己得悉重要秘密，更把 Iapetus 的能力洩漏。而她剛才訴說着第六國度的目的時，雖然義正辭嚴，但我在她的眼中卻看不到「火」，她似乎不是真心相信那套理念，而

是基於個人目的才加入第六國度，而原因很可能就是跟「主持人」有關。

我洞識到這缺口，也是為了滿足自己的好奇心，追問：「他們幫你當上節目主持？」

Dione 沒有直接回答我的問題，反而開始從頭說起自己的故事：「我年輕時，曾經天真地相信香港是一個靠努力、靠實幹就能出人頭地的地方。人人都說獅子山精神，肯搏肯捱就能成功，那說不上是錯，可是並非現在，而是數十年前的環境。自從有一群自私自利的人成為既得利益者後，這種上流的機會就不復存在了。香港如今只不過是一個講關係的虛假社會。」

我看出高健沒耐性繼續聽她的故事，立刻按住他。雖然我也知道不應該花時間跟 Dione 糾纏下去，但實際上我們仍未有破解「雙重遊戲」的方法，那又何不聽聽她的故事？說不定會得到什麼啟示。

我向 Dione 點點頭，她就繼續說：「我的夢想，是當上電視節目的主持人。為了達成這個心願，我在學時已全心全意向這方面學習及發展。我不斷參加各種相關的活動及課程，去磨練自己的口才及台風。每日放學後，我又把所有的時間用於觀摩及模仿名人的表現。同學們閒餘時逛街看電影，我就偷偷溜進人家的婚禮、頒獎會場等，親身觀察專業人士如何應付各種大場面。

經過一段時間的學習後，我開始正式實踐，為校內外的活動擔任主持人。我甚至不收分文，主動自薦為其他院校及非牟利團體當活動主持。在不斷鍛鍊下，我的主持技巧漸趨成熟，亦自問比電視台不少年資較淺的主持人更有實力。」

高健拉一拉我衣袖，似乎是想勸我不要再聽下去，我當然沒有理會，因為看來「戲肉」快要登場了。他沒我好氣，逕

自走到一旁席地而坐，而 Dione 則續說：「轉眼間，畢業在即，同學們開始四出找尋工作，我亦不例外。可是，當我細心留意各媒體的招聘廣告時，卻驚覺入行無門，我幾乎不曾在報章、雜誌上看到有關電視台主持人的招聘廣告。

我於是向就業輔導中心求救，職員解釋香港的電視台有限，主持人的工作機會及職位自然也不多，不少主持其實也是身兼演員，他建議我可嘗試電台 DJ 或婚禮司儀，機會較多。可是我根本志不在此，興趣缺缺，亦沒按照他的建議去做。

不過，我並沒有就此放棄，及後多次厚着臉皮，毛遂自薦到電視台。皇天不負有心人，終於有一次有幸獲電視台的職員約見。雖然單看職位，對方似乎只是電視台的中層，但機會始終是機會，我絕不會輕易放棄。我滿心歡喜，為這個會面準備充足，細心編寫了個人履歷，把過去當活動司儀及主持的精華片段剪輯好，也排練了長度不一的自我介紹，以便迎合會面時不同問題的要求。會面時穿着的服飾，我亦一絲不苟特意訂造。這是千載難逢的機會，絕對不容有失。

會面當日終於來臨。為免遲到而錯失機會，我更早到了個多小時。可是，希望愈大，失望愈大，對方不單遲了半小時出現，而且當他看到我之時，頭上立刻被一陣黑氣籠罩。他對身邊的助手輕聲耳語，然而不知道是有心還是無意，內容卻讓我清楚聽過，而且永遠不能忘懷。」

我屏息以待。Dione 稍頓一下，吸了一大口氣，才能吐出那幾句難聽的話：「那個人說：『她怎麼跟照片相差這麼遠？身材又『平平無奇』，我可沒興趣跟這種貨色『上林』。』」Dione 回想起這段不快經歷，一時間感觸萬千，別過臉去。即使事隔多時，她顯然仍對此事耿耿於懷。

雖然我未曾親身感受過這種職場黑暗，但網絡上也不時流傳相近的訴苦文，令我多多少少明白在行頭窄的行業，如

電視、電影、寫作、藝術創作等，關係比一切來得重要。電視台、出版社等機構，大都擁有近乎不合理大的權力，對創作人或藝術家有着生殺大權。Dione 為自己的夢想而努力琢磨已久，發現機會罕有，可是最後連唯一一根續命稻草都被奪去，那種掉進谷底的絕望，我只是在旁聽着也深表同情，而我也開始猜到接下來將要發生的事了……

「在我萬念俱灰，幾乎生無可戀之際，是 Cronus 給了我機會。她得悉我的情況後，對我的天分及能力被埋沒看不過眼，決定在背後替我『疏通』，讓我當上了《六芒星的挑戰》的主持人。那是個本地製作的遊戲節目，由於並非購自外地的授權遊戲，電視台本來不抱期望，只為了填滿收視低的節目時段而已。

不過，我並沒有因此看輕自己，我發誓要把握 Cronus 辛苦為我爭取回來的機會，堅持即使是如何細小的節目，也要盡心盡力去做。我參考了世界各地相近類型的節目後，看準了香港人的口味，在問答環節中，不經意地滲入毒舌及揭人陰私的元素，結果節目播出後果然大受歡迎，收視出乎意料地好之餘，精彩片段更在網絡上瘋傳，收視節節上升，不久更成為電視台最受歡迎的節目，獲重新調配到黃金時段作現場直播。我成功了！我終於憑着實力獲得眾人的認同！這一切，都是因為 Cronus ！」

我對她的做法雖然有保留，但事實上節目的確相當受歡迎，特別在 Titan 被踢爆靠代筆撰寫小說後，連我身邊的同學也開始追開，更對下一集的名人會如何出洋相期待不已。

我望着 Dione，看到她訴說着自己的經歷時，由萬般失落到神采飛揚，一切只因能當上節目主持人，她顯然是真心喜愛這份工作，甚至是她人生的唯一目標。然而，說到這裏之時，她的表情又突然間變得沮喪。

她說：「不過，自從第六國度到處作惡後，社會愈來愈動盪，市民甚至無法工作，連生存都有困難時，又怎會有閒情看電視節目？消閒節目現在都做不下去⋯⋯」

一直坐在旁的高健，我以為他一直發呆，原來也有聽着。他這時突然站起來怒斥：「活該！Cronus 根本只是利用你而已！」

「高健！」我想喝止他，然而 Dione 卻伸出手向我示意不要緊。她回應：「事到如今，你以為我還不明白嗎？」

高健問：「既然你知道 Cronus 不是真心幫你，那你為什麼還要替她拖延我們？」

「我剛才就說了，因為我真心喜歡當節目主持人。你看，我們現在不是正在玩遊戲嗎？」

難得 Dione 願意跟我們對話，我怕高健又惡言相向把事情弄糟，我搶在他之前說：「我們的確在玩，但節目會有人看到嗎？」

「有。」她回答：「在『遊戲會場』舞台上進行的節目，都會自動上載到內聯網，供第六國度的成員欣賞。」

「但正如你早前所說，第六國度跟我們 S 機關對抗多時，成員所剩無幾，觀眾自然也有限。你照理應該明白，我們通過不了遊戲，你就要一直主持下去；我們通關了，你就會永遠被困於此，真的值得你犧牲自己這樣做嗎？」我追問。

「值得。只要還有一個人觀賞，我都會一直做下去。」難得有人願意聽 Dione 訴說「身世」，她心情大好，在長篇大論過後，竟主動問我們：「好了，我自己的事都說完了。你們還有什麼想問，趁我心情好一次過問吧！」

聽到這句話，我高興得雙眼閃出亮光，高健亦立刻向我打了個眼色，催促我快問。聽了 Dione 的身世這麼

久，她都沒提起重點，我於是把話題拉回我們最感興趣的事上，問：「你剛才說第六國度令人類覺醒潛在能力，從而推翻既有權力架構，只是計劃的第一步，那之後呢？他們的真正目的是什麼？」

「噢，這個很抱歉，我也不知道答案。」

聽到這個回覆，高健為了嘲諷 Dione，故意望向我說：「我就猜到這個女人不會告訴我們！」

「高先生，」Dione 立刻為自己辯護：「我並非有意隱瞞，而是真的不知道。又或者說，我對此根本毫不在意，我緊張的只是我能否繼續當主持人，所以第六國度的事我沒刻意記在心中。那方面的事，你們自己問 Cronus 吧，如果你們有能力從這裏離開的話！」

「你放心，我們一定會逃出去！」

我想喝止高健，然而一切都已經太遲。Dione 聽到高健這句話後，嘆了一口氣，決定終止對話：「唉，算了，我們看來談不下去了，還是繼續遊戲吧！」

11

我不會責備高健把我們提問的機會送走，實際上 Dione 知道的似乎不多，即使繼續談下去，也不見得一定能套到什麼驚人秘密，最終在這段休息時間，我們知道 Dione 為何會加入了第六國度，但充其量只算滿足了好奇心，對事情的整體認知並未有太大進展。

暫停過後，我和高健繼續進行未完的「雙重遊戲」。經歷了早前的四個回合後，我們仍未找到任何突破點，這次於是交換角色：我負責「數八」，高健負責「豆芽遊戲」，期望換個新角度後，能刺激出新思維。

# 第九章

再探科學館

　　而且，我們還有進一步計劃，就是以較「頑皮」的方式去進行遊戲。所謂的頑皮，是我們不會再言聽計從，依足遊戲規則進行。我們會突然有這個想法，是受電腦程式常見的「臭蟲」啟發。

　　一般程式面世前，都會經過一連串的測試，確保程式能正常運作。測試時，程式測試員除了會正常地使用程式外，亦會以奇怪或不合理的輸入及操作方式，看看會否令程式出錯。然而測試歸測試，總有其局限性，未必能測試出所有潛在問題，到程式正式推出後，用家仍有可能出現程序錯誤，英語稱之為 Bug，所以亦有人把程序錯誤戲稱為「臭蟲」。

　　我剛才在想，既然「數八」及「豆芽遊戲」都是後手必勝的遊戲，除非我們能在遊戲中找到漏洞，否則是不可能全破過關的。我們遂想出「頑皮計劃」，故意亂玩遊戲甚至違反規則，看看會否出現漏洞。

　　我將會在「數八」中，把數字加大「零」、「四」，甚至小數，不符合每回合只能加一至三的規則，而高健在「豆芽遊戲」內畫線時，亦會嘗試把線亂畫，畫成不連接任何點、連接超過兩點、或橫跨其他線等。

　　我們曾擔心，不遵守遊戲規則的話，會否招致什麼懲罰，然而考慮到遊戲失敗也沒有後果，不守規則反而會出局似乎不太合理。而且，Dione 為了滿足自己能夠一直主持遊戲的欲望，才會把遊戲設定成永無止境的局面，那麼她亦不會輕易踢我們出局。

　　不久，第五局遊戲開始，我和高健滿心歡喜地執行「頑皮計劃」，還在開始前擊掌振奮士氣。然而希望愈大失望愈大，計劃換來的只是更大的失落。我們不斷違反規則，每次只是換來遊戲無法繼續進行，被要求改正行動而已。

　　然後是第六、第七及第八局，我們以不同的方式組合來玩遊戲，例如一人正常玩一人亂玩、一回合正常玩一回合亂

玩等，但無論如何組合，都無法找到漏洞。而且，Dione 亦未有因我們亂來而抓狂，她每一次只耐心地請我們作符合規則的行動，也沒加以責難。她的耐心表現，反而令我們倍加煩厭，高健更氣得又快要發脾氣的樣子了。

老實說，我真的完全沒轍，但又不想高健擔心，只好再次暫停，並安慰他說我很快就會找到漏洞。我不是絲毫不沮喪，只是如果我現在就放棄，我們就真的要在這裏度過餘生。

「單車，」高健聽到我的安慰後回應：「你說得對，我們不能就此放棄，Shirley 及小勳他們一定在努力找尋『笛卡兒四律』，我們也要想辦法快點離開。」

說起來，我被困在半球體後，一直被如何全破「雙重遊戲」一事困擾。高健不說，我也幾乎忘記了「笛卡兒四律」的存在。

對了，回想起來，高健至今仍堅信「雙重遊戲」必定有什麼漏洞，是因為媽媽剛才在車上曾經這樣跟我們說......

12

「哦！根據你所說，Dione 的能力似乎是『遊戲會場』。」

在前往科學館的車程上，高健終於有時間詳細告訴我們他早前的經歷，當中包括他和 Dione 相遇以及 Iapetus 救走 Dione 的經過。高健也順勢請教媽媽有關該能力的詳情，以便我們再次遇上時有所防範。

媽媽繼續解釋：「『遊戲會場』跟 Titan 的『語言力場』相似，也是屬於領域系的高階能力。她說出指令『It's show time』後，半球體會以她為中心點，把她和在範圍內的人包圍。被困的人將自動成為遊戲的參加者，必須完成三項由她提出的謎題或遊戲，方能離開。」

高健慨嘆：「嘩！這太可怕了吧？」

「嗯，她的能力的確非常驚人，但限制亦相當多。包括——在每項謎題或遊戲開始後，就不能取消或重開新局，頂多只能在謎題或遊戲之間以口令『Time out』暫停。已暫停的遊戲，在下次再續時必須包括上次的參加者，否則無法發動能力。而且，遊戲尚未完結，她亦必須一直主持下去。如果參加者順利完成遊戲逃脫，主持人將會取而代之，永遠被困在半球體內。」

「唔……那並不容易使用啊……」高健稍稍抬起頭，好像在回想了一下往事，才繼續說：「我上次被她困住時，幸好謎題不難，否則我也救不了單車呢！」

「她的能力用作拖延的確很強，也很適合跟其他能力混合使用，但如果單獨使用，其實相當危險。」

高健一臉疑惑地問：「但……上次 Dione 對我說，如果我答錯了謎題，就會一直被困在半球體內，那就等同死亡啊！危險的不是參加者嗎？」

「照理不會這樣的……」媽媽側側頭，稍作思考後說：「如果她的能力真的是『遊戲會場』，她無論提出任何遊戲，也必須讓參賽者作無限次嘗試。如果是謎題或有選擇的題目，答錯了她也只能一直更換問題。我猜她是故意欺騙你，讓你不敢亂猜，從而拖延時間。」

「慢着！」我聽到這裏，突然發現了矛盾之處，插嘴問：「如果 Dione 當時只是唬嚇高健，這就奇怪了。你說她的遊戲必須讓參賽者作無限次嘗試，那不就代表最終必定是 Dione 永遠被困在半球體內嗎？」

「不。她是有一個方法可以勝出的，但她絕對不會告訴你們：就是如果參加者『放棄』，不再玩下去，她就算得到勝利，而參加者將永遠被困。」

我有點愈聽愈糊塗，只好稍為整理思緒，再換個方式確認：「你的意思是，除非參加者自行放棄，否則是絕不會輸？」

「嗯。」媽媽點點頭：「反過來說，Dione 的目的就是要令參加者自我放棄。她大有可能藉着遊戲的難度，令被困者感到沮喪、煩躁、絕望，從而放棄遊戲，她就成功困起參加者了。」

「那麼她只要提出不能完成的遊戲即可吧？」高健問。

「不會。噢！我竟忘了交代重點。」媽媽這時才想起自己說漏了「遊戲會場」的一個重大限制：「她提出的遊戲或謎題，必定要有確切而可行的通過方法。可以很困難，但絕不能沒有解。」

我說：「這樣說來，Dione 的能力看似強大，實際上卻是對使用者相當不利的能力。」

「對，所以如果高健下一次遇上她，遊戲或謎題絕對不會簡單，因為你已通過兩關了。」

小勳突然靈機一觸，猜想 Dione 的行動說：「她可能會拿出一副 100,000 塊全白色的拼圖出來？這樣既有確切的解，但高健多半因為太困難而放棄了。」

「不會這麼麻煩吧？我最怕砌拼圖了！唉……」高健皺着眉說。我們眾人看到他懊惱的表情，倒是高興地哄笑起來。

13

現在回想起來，有兩點非常重要：一、「遊戲會場」內的謎題或遊戲可以很難，但必須有明確的解；二、只要我們不放棄，就永不會輸，總有逃脫的機會。雖然我們至今仍未想到破關辦法，但只要我們繼續玩下去，Dione 也無可奈何。

# 第九章

再探科學館

想着想着之際,我突然感到背後傳來一陣寒意。我很相信直覺,雖然還未看到什麼,但已立刻作出反應,猛然向左邊一閃。回望之時,發現高健伸出了食指及中指。

高健顯然因為看到我一直發呆,打算刺向我的腰間來喚醒我。他驚訝地說:「哎呀!這是你人生中第一次閃開了呢!」

「什麼事!」我翻了一下白眼,略帶不滿地說:「我告訴過你多少次,我這個樣子是在思考!」

「我知道,但我發現了一件事,不得不立刻告訴你啊!」高健說着之時,稍為向我靠近過來並調低聲量。

他似乎並非存心作弄我,我也放輕聲音問:「你發現了什麼呢?」

「你望向你的『十點鐘』方向,似乎是我們要找的東西。」

我聽從高健的指示望去,竟發現在 Dione 身後的一個角落、近地面的位置,傳來點點微光。

由於距離太遠,我看不到是什麼,只好反問:「那是什麼?」

「我在這裏本來也看不到,於是剛才趁你思考之時,假裝四處踱步走近該處,發現那是一個只有如半部手機般大小的熒幕,上面只顯示着『分析律』三個字。」

「啊!」我驚呼,高健緊張得立刻掩着我的口,深怕引起 Dione 的注意,但其實這個舉動才最礙眼……

我掙脫高健的束縛,輕聲繼續說:「『分析律』正是笛卡兒四律之一,意思是將問題區分成簡單單位來思考。」

「那即是我們的目標？可惜那熒幕不巧在『遊戲會場』外，看來我們不全破『雙重遊戲』，是無法接觸得到。」

「不要緊，只要我們不放棄，一定能逃出去。」我鼓勵他說。

「嗯。」高健和應過後，以為我已想到破解之法，反問我：「那即是說，你已經想到那個解了嗎？」

「不，還未⋯⋯」我有點尷尬，不敢正視他來回答。

「哦⋯⋯」

從他的回應，我聽得出他心中的無奈，但又不敢催促我。我明白，這次能否成功逃出去，關鍵絕對在於我。問題是，「雙重遊戲」本來就是後手必勝的遊戲，到底要怎樣才能破解呢？

我凝神望向遠處，看着那個代表「分析律」的光點。「將問題區分成簡單單位來思考⋯⋯」我在心中默念着這句子，並反問自己，到底雙重遊戲的「真理」是什麼？

在同一時間，高健似乎也正在想辦法，他喃喃自語：「我真不明白，為什麼遊戲一定要這樣玩？」

高健愛喃喃自語我一向知道，所以平日我通常都無視之。不過，不知為何，這句無心慨嘆卻直擊我的心深處。直覺告訴我，真理可能與這點有關。

我馬上抬頭望向他，他看到我的反應，側側頭眨了數下眼，向我解釋他的想法道：「不是嗎？現在進行遊戲的方式斷斷續續，你在『數八』加大一次數字，我在『豆芽遊戲』畫一條線，然後 Dione 加大數字，又畫上一條線，這樣交替地進行，一點也不暢快。為什麼遊戲一定要這樣玩呢？」

我瞪大眼睛望着高健，他又繼續說：「還有，『數八』及『豆芽遊戲』分明都是小學生遊戲，為什麼 Dione 會說是大學級數的難關呢？」

我和高健果然是最合拍的一對——我一直想不通之處，竟然在他無意之間一口氣道出了重點！

「分析律」、斷斷續續地進行遊戲、雙重遊戲必定有明確的通關方法、大學級數關卡，我利用這幾個關鍵詞，在「永久記憶」中搜尋相關的資料，不一會，終於找到破解『雙重遊戲』的關鍵所在！

原來，我們剛才已非常接近目的地，方法正是頑皮計劃的變奏：頑皮到極致！

14

「誒？」高健看到我的反應，驚訝地問：「單車，你想到破解之法了嗎？」

「對！」我興高采烈地建議：「事不宜遲，我們重新開始遊戲吧！」

「慢着！你還未告訴我要怎辦啊！」

「不要緊，你按照早前那樣隨意玩就好，我自會在適當時候說明。」

高健雖然未知道破解之法，但也明白我不會在重要而認真的事情上胡扯，他只好半信半疑地點頭。

雙重遊戲的第九回合開始。跟早前一樣，我們要先定下誰負責哪個遊戲。我若無其事地說：「高健負責『數八』。」

Dione 此時仍未察覺到異樣，但見我並未有交代自己的選擇，平淡地向我追問：「那你呢？」

我露出自信的微笑說：「我就留待高健完成後，再行決定，沒問題吧？」

Dione 怔了一怔，不過她亦立刻回過神來，掩飾內心的不安說：「哈！好……」然而她果然如高健所說，喜怒形於色，她顯然是動搖了，這就代表我的方向正確！

「數八」先開始，高健未有立刻行動，反而望向我，等候我的指示，但我只向他攤一攤手，示意他自行決定。

「誒？我自己決定？」他驚訝地反問。

我走近他那邊說：「嗯，你喊什麼也好，反正我也有辦法。」說罷，我瞥了 Dione 一眼，發現她的面容開始繃緊起來。

「那就『一』好了。」高健說，他面前的熒幕也瞬即顯示了數字「一」。

高健行動過後，就輪到同樣為先手的我。按照早前的遊戲流程，我理應要過去右邊的熒幕進行「豆芽遊戲」，然而我仍站在高健身旁沒有離開。

Dione 見狀以主持的身分說：「單先生，輪到你了。」

我沒理會他，只保持微笑，她又再一次說：「單先生，輪到……咳！」沒料到，說到這裏，她竟然被自己的口水嗆住了。她在咳嗽期間，改以輕敲「豆芽遊戲」的熒幕示意，但由始至終，她都沒說到底輪到我做什麼。

至此，我終於肯定我沒猜錯，破解雙重遊戲的關鍵果然就是——

「巴蘭多悖論（Parrondo's Paradox）！」我興奮得大叫了出來。

我的大叫，當然引起了高健及 Dione 的注意。一說起科學話題，高健又發作，沒頭沒腦地問：「斑蘭蛋糕？說起來我也想吃呢！」

我無奈地向高健翻了一下白眼，然而想起來，也是多得高健發現了「分析律」的裝置，令我想起「將問題區分成為簡單單位來思考」是通往真理的方法，我才會把雙重遊戲的細節逐一思考，而高健喃喃自語時所說「為什麼這個雙重遊戲是大學級數難關」，正是一切的關鍵。

至於 Dione，她的臉色已變得異常蒼白。她洞悉到我想到破解之法後，已緊張得無法主持遊戲下去。

高健見 Dione 和我都沒有反應，再次追問：「單車，到底斑蘭蛋糕是什麼？」

「是巴蘭多悖論！」我解釋：「那是由巴蘭多（Juan Parrondo）在 1996 年發現的理論。他指出，有些看似必定會輸掉的遊戲，其實有可能藉着交錯地遊玩，從而組成反勝的策略。這個理論看似抽象，但實際的應用範圍出奇地廣，包括人口動態分析、工程學、政治分析及財務風險評估等。不過，也有人認為巴蘭多悖論應正名為『巴蘭多效應』，但這是後話。」

高健聽得一頭霧水，他緊皺眉頭地諷刺我說：「那即是什麼？你可以說得簡單一點嗎？」

我續說：「『數八』及『豆芽遊戲』都是先手必敗的遊戲，而我們偏偏要一直當先手，這就是看似必定會輸掉的遊戲。但實際上，只要我們以特別的方式遊玩，就能組成反勝的策略！」

高健得知我已有策略，半帶不悅地問：「那你為何不早點說？」

「因為我剛才仍不太肯定，但現在看到 Dione 的反應，我就知道我的方向正確了。」

說罷，我們同時把注意力集中到 Dione 身上。當刻她不只臉色蒼白，身子也微微顫抖起來，因為她辛苦構思的「超難關」快將土崩瓦解。

她強裝鎮定地回應：「單先生……請你廢話少說，專心玩遊戲……」然而她說話時沒有絲毫自信，話語已完全失去了力量。

「既然你希望我繼續玩下去，那我就成全你好了。」我順勢回應過後，繼續站在近左手邊、「數八」的熒幕附近說：「我把數字加大三，叫喊『四』。」

這句話，顯然代表我正打算玩「數八」，然而該遊戲本來是由高健負責，他吃了一驚地大呼：「喂，單車，『數八』是我在玩，你好像應該……誒？」

他的話還未說完，就發現事情的發展出乎意料之外，「數八」的熒幕竟然依照我所說，顯示出數字「四」！

高健看到 Dione 灰頭土臉，臉色已黑得不能再黑，而熒幕也按照我的說話顯示出「四」，那就代表我的行動有效。他驚訝得大叫起來：「怎會這樣？」

我細心解釋：「剛才你低聲慨嘆時，曾說『數八』及『豆芽遊戲』交替進行，一點也不暢快，為什麼遊戲一定要這樣玩呢？因為如果不是這樣，而是分拆成兩個遊戲單獨進行，先手就必然無法過關，就成了沒有解的遊戲，違反了『遊戲會場』的使用限制。於是，Dione 就把遊戲設計成一同進行，並巧妙地誘使我們誤以為一定要交替進行，令我們一直無法過關。」

「你的意思是，我們二人在同一回合內，並不一定要分別玩兩個不同的遊戲？」

「對。回想起來，她在解釋遊戲規則時說，『雙重遊戲』的兩個遊戲將同時進行，我們每次需各自選擇進行哪一個遊戲，而兩個遊戲的對手皆會是她。不過，『每次』的定義是什麼呢？是每局？還是，其實是『每次行動』？」我提高聲量強調最後這句話。

「啊！」高健驚叫。他雖然對科學的興趣不大，但也不是笨蛋的，得知我們的兩回行動並不一定要分散在兩個遊戲上後，他亦明白雙重遊戲的缺口已經打開。他興奮地反客為主，催促 Dione 道：「Dione，輪到你了。請你廢話少說，專心玩遊戲，哈哈！」

至此，全破「雙重遊戲」已變得毫無難度可言。Dione 一臉無奈地繼續遊戲，而且因為「兩個遊戲的對手皆會是 Dione」，她的行動模式卻無法改變。

她在「數八」中叫喊「五」，並在「豆芽遊戲」中畫上第一條線。在下一回合，高健在「數八」中喊叫「八」勝出，而我則在「豆芽遊戲」中畫上第二條線。接下來，Dione 畫上第三條，高健及我畫上決勝負的第四及第五線。我們同時勝出「數八」及「豆芽遊戲」，順利全破「雙重遊戲」，完成三個難關，也代表着我們擊破了 Dione 的能力「遊戲會場」。

「恭喜你們全破遊戲，通過『雙重遊戲』及『數學問答遊戲』......」Dione 沒神沒氣地勉強主持下去，場內亦應聲飄下彩帶，並奏起輕快歡愉的音樂。與此同時，半透明的球體色澤加深，變成實在的粉紅色。我回想起在這個空間內，「實色是影像，透明是實體」，這就代表圍牆應該已變成影像，我們可自由離開。

　　儘管會場內營造了一片歡樂的氣氛，可是我們一點興奮的感覺都沒有，畢竟了解過 Dione 的背景後，就明白她並非大奸大惡的人，對她即將永久被困在此感到有點可憐。

　　我和高健對望一眼後，就打算默默下台離開。然而在同一時間，Dione 也跑下台，更快步走到我們面前。

　　這當然刺激到高健的神經，他架起馬步大喝：「你想怎樣？要用武力嗎？」

　　我認為 Dione 多少是個有自尊的主持人，她似乎沒有惡意，我揮一揮手，示意高健不用如此強硬，並問 Dione：「你是有什麼想跟我們說吧？」

　　「嗯……」她稍頓一下，有點不好意思地側身對我們說：「除了我之外，Rhea 及 Iapetus 等人也來了這裏。雖然我不知道你們來這裏的目的，但他們一定會找機會對付你們，你們要自己小心。」

　　聽到這句話，我知道 Dione 已無意阻撓我們，我向她道謝過後，好奇地追問：「說起來，你把自己的身世、Iapetus 的能力等一一告訴我們，你對我們為何如此坦白呢？」

　　「我不把我想說的話說完，恐怕以後也沒有機會了。」

　　「你真的不能離開這裏嗎？」

　　「嗯，不過不要緊，我已為自己準備了大量單人遊戲，即使只有我一人，我仍能繼續主持下去。」

　　我沒有回應，只向她擠出一個微笑道別。

　　我和高健二人走向半球體外。在高健剛踏出去後，Dione 突然叫停我：「單車！」

# 第九章

再探科學館

她這時一臉認真地懇求我：「無論你們最終能否阻止第六國度也好，你可以答應我，想辦法不要讓香港變成一個任人唯親、私相授受的地方嗎？我實在不希望有更多的『我』出現。」

「沒問題！畢竟這是我土生土長的地方。」我堅定地回答。

15

離開「遊戲會場」後，半球體又回復半透明的狀態，把我們和 Dione 分隔開來。正如她早前所說，她返回台上，繼續主持節目，而我們則走到高健剛才發現「分析律」的熒幕前。

熒幕只有半部手機的大小，並沒有任何按鈕，上面只顯示着「分析律」三個字。我們輕觸熒幕，畫面就改為顯示「啟動」鍵。我們當然二話不說按下，畫面再次發生變化——

「『分析律』及『枚舉律』已啟動。」

「咦？」我說：「看來在我們交戰期間，Shirley 及小勳已找到『枚舉律』。」

高健回應：「那我們也要加把勁呢！『笛卡兒四律』只剩兩個！」

我們立刻動身離開兒童天地，準備到二樓搜索下一個「笛卡兒四律」。

剛離開兒童天地的範圍，高健就問我：「Dione 最後跟你說了什麼呢？」

「她說，我比你聰明得多。」

「嘖！」高健知道我不打算正面回答他，沒有追問下去，轉移話題道：「不過呢，你的『永久記憶』並不是完全沒用的，多得你想到『斑蘭蛋糕』，我們才得救。」

他果然是我的好兄弟，竟然留意到我曾因能力沒什麼用而不安，還特意安慰我。我不敢邀功，說：「也多得你的喃喃自語，我才會想到呢！」

在前往下一個目的地的途中，我在想，Dione 其實本性不壞，她的行動全為了實現她的主持夢罷了。如果她遇到的是 S 機關而不是第六國度，或許她就不會成為我們敵人，也不用永遠被困在自己的領域內。

當然，這個世界並沒有如果。事實上她是我們的敵人，我們也只能這樣做了。

只是，有些事經她解釋過後，我反而更不明白：既然 Iapetus 擁有「定位探知」的能力，也就是說第六國度本來就知道我們基地的位置，那為什麼他們不在更早時間就襲擊我們，而要在我們前來科學館時才出動呢？還有，Dione 為什麼要引開我們，讓其他人分開對付 Shirley 和小勳呢？

我們當然亦不知道，Shirley 及小勳二人，原來在這時已經歷了一場慘烈而殘酷的對決……

# 第十章　宿命對決

（本章以Shirley的視點進行）

# 第十章

宿命對決

1

在我體內的第三及第四人格，分別是凌博士及柳芬。

凌博士，全名凌茜，是單車同學的母親。這人格跟 Michelle 及柳芬不同，並非由我製造出來，她只是因為失去肉身而寄居到我的意識界內。

至於柳芬，則是我早前被 Cronus 抓住，在生命受到威脅下覺醒特殊能力時產生的人格。他是四個人格中的唯一男性，由柳凝（Titan）及大芬（Rhea）二人為藍本混合而成。凌博士最初擔心，這個混合人格會同時擁有 Titan 及 Rhea 的劣根性，而且體能又是我們四「人」中最強，恐怕我們無法把他制伏。不過，凌博士並不知道，我在製造柳芬出來時已考慮到這點，於是在他的性格中作了少量修改，增加了非常服從權威的特性。結果，他對 S 機關之首凌博士及主人格我都顯得很乖巧，而 Michelle 因為比他早出現，他視之為長輩亦不敢亂來，所以至今並未出現什麼問題，算是不幸之中的大幸。

有關眾多人格的能力，在我逃出 Cronus 魔掌及形態形成場確立後，高健同學曾問我：「在《機械人大戰》遊戲系列中，由四位機師操作的機體，會有四組精神指令可供使用。那你擁有四個人格，不就會有四種特殊能力嗎？」

很可惜，答案是否定的。形態形成場的定義是：「發生在一個物種身上的事情，當受眾數量足夠多或影響足夠大時，就會經形態共振，不受地域所限，影響現在及往後出現的同一物種。」由於人格不算是人的同一物種（只有意識沒有肉體），所以 Michelle 及柳芬並未有覺醒能力。

而凌博士雖然擁有特殊能力，但跟單車的相似，她的能力無法在實戰中應用。她的能力名為「神算術」，能夠以跟當今最快的超級電腦匹敵的速度作心算。最終「我」雖然有兩

種特殊能力，但都無法於戰鬥中使用。遇上戰鬥的話，我就只能靠柳芬或 Michelle 的體能應付。

不過，說起來，其他人格不受形態形成場影響就無話可說，但為何高健同學至今仍沒有特殊能力呢？這一點，連凌博士也沒有頭緒。

2

我和小勳跟單車同學和高健同學分開後，就開始搜索科學館的一樓。這層的展館有三個：磁電廊、科訊廊及職業安全健康展覽廊。由於這裏接近科學館的入口，我們不時聽到成員在外面跟暴徒對抗的聲音，得知這裏尚算安全，我們遂以平穩的步伐行動。為了讓柳芬保留體力在戰鬥時使用，我請 Michelle 替我執行搜索行動，我將會在旁觀察，凌博士則稍作休息。

磁電廊早前單車同學已搜索過，我們集中精神在科訊廊及職業安全健康展覽廊。可是，我們各搜尋了兩次後，都沒有發現。無奈之下，我們只好也返回磁電廊再看，但同樣未有找到任何疑似跟「笛卡兒四律」有關的東西。

小勳皺皺眉說：「所有展覽館都搜索過了，除了洗手間及職員工作的地方外，這層似乎只剩演講廳了。」

Michelle 一臉認真地回應：「我有預感，在該處一定會有什麼！」

Michelle 的預感果然沒錯。當我們步入演講廳之時，空氣變得凝重起來，雙肩突然感到一陣壓力，皮膚及毛孔微微收緊：這是附近有人使用領域能力的感覺。

我們二人吃了一驚，以為演講廳內有埋伏。不過，在同一時間，我們的通訊裝置傳來訊息，原來是單車同學及高健同學遇上了第六國度的人。

# 第十章

宿命對決

雖然受「款待」的不是我們，但小勳仍緊張得不斷發問：「咦？他們是怎樣入來？難道入口已被攻陷？大門就在演講廳外不遠處，要回去幫手嗎？」

Michelle 想了想，反對說：「不，如果這裏已被攻陷，單靠我們也做不了什麼。而且，單車他們在高層，我們剛才一直在大門附近走動，都未有發現，第六國度的人恐怕是偷偷潛入這裏。」

「那我們現在怎辦？」

「我們把握時間，加緊搜索吧！我們要相信單車及高健。」

情況有變，我們不敢怠慢，立刻全力行動。幸好皇天不負有心人，搜尋重開不久，我們就在演講廳的講台底，找到顯示着「枚舉律」的小熒幕。

我們一同蹲下去看，小勳看着眼前的熒幕問：「『枚舉律』好像是把真理套用在各種事物上作徹底的檢查？」

Michelle 猶豫了半晌，不太肯定，直到我和凌博士在意識界和應，她才向小勳點頭示意。

「『枚舉律』已啟動。」

笛卡兒四律的裝置果然如凌博士所料，只是開關而已，我們不費吹灰之力，就成功啟動其中一律，小勳亦高興得大叫：「Yeah！順利完成第一站。」

「殊！不要高興得太早。」Michelle 雖然很久沒露面，但性格仍然相當嚴肅，面對年紀較輕的小勳也一本正經地說：「一樓我們完成搜索了，趕快到地下吧！」

小勳並沒有因此不高興，繼續充滿活力地說：「好，出發！」

就在我們重新站起來之際，冷不防間，演講廳的大門前傳來一把熟悉的聲音。當刻我就知道，受到「款待」的並不只是單車同學那邊，第六國度亦不會「待慢」我們。

「沒走得這麼容易呢！」那一把聲音說。

3

這把聲音我雖然只接觸過一次，但已相當深刻，因為當時為了要完成 Cronus 強迫我執行的任務，必須假裝跟她全力對決。

這個人是 Rhea，原名大芬，即小勳的姐姐。

小勳及大芬的爸爸是個無藥可救的賭徒，當年他曾向俗稱「大耳窿」的高利貸集團借錢賭博，後因無力償還而自殺，債務卻遺留給他們一家。他們的母親不久因過勞猝死，還債的重擔輾轉落到兩姐弟身上。幸好他們機智，想到辦法與高利貸集團周旋，勉強令利息停止加算，然而當時已債台高築至 100 萬元，他們二人亦必須在中學畢業後就立刻投身社會工作。

大芬一直相信，小勳為人聰明勤奮，能升讀大學的話必定前途無可限量。然而她只比小勳年長三年，單靠這時間差，要一名中學畢業生在三年內賺到 100 萬元談何容易。最終，她為了成全小勳，決定犧牲自己，事先購買了人壽保險，然後假裝被高利貸集團所殺，打算一方面令小勳獲得保險金，另一方面也有機會瓦解該集團，一石二鳥。

不過，她最終並沒有死去，當時 S 機關的單博士（即單車同學的爸爸）派人救了她，並安排她成為單車同學對手，迫使單車同學覺醒高階潛能。單車同學戰勝了大芬，她理應慘死當場，Cronus 卻偷偷救了她，收為己用之餘，還替她還清債務，大芬從此死心塌地成為第六國度的一員，並改名為

Rhea。她對錢及弟弟的愛,可謂執迷至極,但也令她走進歧途,成為我們的敵人。只是,我一直不能理解,為什麼她現在又要與弟弟為敵呢?

「姐姐!」小勳看到站在大門附近的 Rhea,興奮地大叫。

「小勳!」Rhea 也狀甚高興地回應。

面對這個場面,我怔住了不懂反應。這對久別重逢的姐弟,到底接下來會怎樣收場?小勳答應過我們的事,他又能否做到呢?這些擔憂,令早前一直在休息的凌博士也打醒十二分精神看着。

小勳主動跟 Rhea 寒暄:「姐姐,你最近怎樣呢?我在這邊過得很好!」

「我在這邊也過得很好!」Rhea 回應,接着又反問弟弟:「最近天氣開始轉涼,你有多穿衣服嗎?」

「有呀!S 機關這邊物資充裕,你不用掛心。」

「那我就放心了。」

小勳這時打算拉回正題:「姐姐,其實我更擔心你。」

「姐姐也過得很好,第六國度把我視為他們的核心成員,因此擁有最佳的配備,不用擔心。」Rhea 至此仍一臉和藹地跟小勳對話。

「但你應該很痛苦吧?要經常外出殺人。」

「怎會?」Rhea 不以為然地說:「我很清楚明白自己的動機,殺人只是手段,不是最終目的。只要能夠把既有的權力架構推翻,人們就能過回好的日子。」

「這樣會死很多人呢！」

「只要你安全就沒問題了。我知道你在 S 機關，有單車及其他人保護，一定不會有事。」

我愈聽就愈覺得 Rhea 的話荒謬，但又不知如何反駁。凌博士本想加入舌戰，卻被 Michelle 強霸着身體無法成事。我明白，Michelle 相信小勳是最適合的勸降人物，才會認定我們任何一人加入也不會令成功機會提高。

「姐姐，」小勳終於來到戲肉，遊說她道：「你不如也過來 S 機關吧？」

「小勳，你太天真了。」Rhea 這時收起笑容，認真地回應：「你忘了我曾經也是 S 機關的人，卻被他們弄得多慘嗎？我連你我也差點救不了。」

「不，S 機關已改邪歸正了。」

「『江山易改，本性難移。』這句話是你教我的，我不會再相信他們。」

「但⋯⋯這樣的話，我們就要分隔兩邊陣營，我不想這樣啊！」小勳出動軟功，說話時故意撒嬌。

我以為這樣會打動到 Rhea，可是她絲毫沒有動搖，繼續平淡地說：「我們現在不是很好嗎？雖然分開了，但有需要時仍可以見面，正所謂『你走你的陽關道，我過我的獨木橋』，大家的路其實沒有衝突，陽關道也可以有獨木橋啊！」

「姐姐，那句話不是這個意思⋯⋯」小勳發現姐姐到現在還是沒變，依然會鬧出這種笑話，有點哭笑不得地說。不過，他也明白無法說服 Rhea 投誠，於是退而求其次道：「那我也不勉強姐姐你了。我們要繼續旅程，想離開演講廳，可以嗎？」

第
十
章

宿
命
對
決

雖然我覺得放任 Rhea 不顧很危險，但事實上只要她不阻礙我們繼續找笛卡兒四律，我們也不急於鏟除她，小勳這個建議實在非常聰明。

「可以……」Rhea 的前半句答覆讓我高興了半秒，不過，後半句話卻把我拉回殘酷的現實：「但只限於你，你身旁那個賤女人就一定要死！」

Rhea 的話直指我們，而 Michelle 亦不希望把小勳努力遊說的結果輕易斷送，她終於忍不住加入勸說：「當日我在『陸軍牌』一戰中敗給你，但我現在仍安然生存，你就應該明白，Cronus 其實是有心欺騙你加入，你不要再相信她了。」

「不，」Rhea 不服地反駁：「Cronus 大人已向我解釋，是她一時心軟，才會被你有機可乘逃脫。」

「姐姐，事情不是這樣的，Cronus……」小勳想協助解釋，但 Rhea 立刻打斷他：「小勳！連你也被騙了嗎？」

人對某些事情一旦存有偏見，就難以改變，小勳明白這點，立刻改以另一角度勸說：「但姐姐你當日幫第六國度是為了還清債務，現在問題已經解決了，你不用再幫他們吧？」

「不，我回來的話，那 100 萬元保險金就會被追討。」

「不要緊，S 機關答應會替我們支付，那你可以過來了吧？」小勳並不是亂說，凌博士的確答應過。不過，那已經是很久以前，錢在現在這混亂的局面其實已沒什麼價值。

「還是不行。我回來，始終要退還保險金；我不回來，那筆錢就一直是我們的。」

Rhea 果然一談起數字或理論，就變得沒頭沒腦，小勳想糾正她說：「姐姐，數不是這樣算，我就說了 S 機關……」

　　Rhea 再一次打斷他：「小勳，你年紀輕，還未明白那100 萬元對我們有多重要。香港人為了錢，不惜拚命工作，連健康、家庭都可以雙手奉上，還會嘲笑其他人不願意犧牲、不思進取。我們只不過是分屬兩營，就能保住 100 萬元，何樂而不為？」

　　小勳不甘被那些沒來由而且有漏洞的偽道理壓制，高聲否定：「姐姐！你聽我說，我們根本不會損失 100 萬元！」

　　「不，你經驗淺不明白，我不回來，你照去拿 S 機關的錢，我們就賺了 100 萬元。」Rhea 繼續發表謬論，聽得凌博士也眉頭緊皺。

　　小勳自知 Rhea 理虧，卻被多次以「年紀輕」或「經驗淺」來否定，心有不甘，終於按捺不住喝斥：「姐姐！你變了！你以往一定會聽我分析！」

　　「我的確變了，因為我過往太常被騙……算了，我們已談了五分二十秒，應該夠了吧？」

　　「是五分二十七秒了。」小勳一臉無可奈何地糾正她說。

　　「哦？看來你也覺醒了『體內時計』？」

　　「不單如此，我的高階能力也覺醒了。」

　　「難怪你看來年輕了。」

　　「你也成熟了不少，腦袋似乎亦退化了……」

　　他們所說的「體內時計」，是小勳及 Rhea 二人的基礎能力，簡單來說，就是他們的腦袋內好像有時鐘或計時器一樣，可以輕易得知現在的時間、跟某件事相距的時間等。至於他們的高階能力，也是跟時間有關，而且相當可怕，所以只有小勳才有能力跟 Rhea 抗衡。不過，有得必有失，能力愈大，副作用愈大，所以小勳在平日不能隨便使用能力。

Rhea 不聽小勳的解釋及勸告，又對那 100 萬元抱持着難以理解的執着，戰鬥看來在所難免。小勳向 Rhea 作最後確認：「我們之間的對決，真是無法避免嗎？」

Rhea 微笑着安撫他：「放心，你是我最疼惜的弟弟，我有信心不會傷害到你。不過，那個女人，我就絕不會手下留情。」

Michelle 忍不住再次插嘴：「那你欠單車的恩惠呢？你就不能放過我們嗎？」

Michelle 提出問題的時機相當好，這道問題完全刺中了 Rhea 的死穴，她怔住了好一段時間。可惜，缺口並未有因此而打開，不一會，Rhea 開腔道：「他的恩，我下世再還。如果世界沒有滅亡，我們還有下世的話。」說罷，她戴起了指節套環，準備向我們攻擊。

4

談判破裂，大戰一觸即發，我們這邊亦不敢怠慢，柳芬立刻代 Michelle 接管了肉身，並把外套脫下包在手上，以便必要時能用來卸掉 Rhea 的拳擊威力。小勳則掏出腰間的求生小刀，架在胸前作警戒狀。看來他心意已決，不打算對自己的親姐姐手下留情。

平日非必要的話，柳芬其實很少說話，特別是佔用肉體之時。今日他看到小勳的動作，似乎有點感觸，不吐不快。他稍稍蹲近小勳，但眼繼續死盯着 Rhea 說：「小勳，你不用勉強自己。你盡量替我牽制她就好，致命一擊留待我來執行。」

小勳已進入戰鬥狀態，同樣集中精神望着 Rhea 說：「不要緊，我已盡力勸告，她執迷不悟，我也不會對她客氣。」

「但那畢竟是你唯一的親人，我不希望你留下不快回憶。」

「這是我的使命。」小勳這時雙目彷彿閃出亮光，更加堅定地回應：「她可能倒過來會心軟，對我手下留情，那我就有機會全力進攻。只要我們之後得到迅子，就算我們殺了她，一切都能逆轉過來。」

這句話即使我只是在意識界內聽着，也感到有點傷感。說起來，這場對決也夠詭異：構成柳芬的一半藍本是Rhea，而小勳的姐姐對他曾經如同另一半一樣重要。一個是性格的一半，另一個是生命的一半，這場戰鬥不單殘酷，最終的結果到底會怎樣，我們也無法預料。

柳芬無奈地向小勳強擠出一個微笑，以此作為鼓勵並完結對話，我們二人亦重新架起戰鬥姿勢，大戰即將展開。

柳芬及小勳二人散開，分別站到Rhea的兩邊呈包圍狀。由於二人一左一右站着，Rhea無法同時看到二人，只好不斷左顧右盼，完全處於被動狀態。

突然間，小勳趁着Rhea望向柳芬之際，舉起小刀全速衝前，速度之快簡直令我吃了一驚──我不是沒看過他訓練時的動作，而我亦清楚知道因為他年紀輕及身形輕巧，造就他加入不久已成為S機關內最靈敏的成員之一，只是在實戰中看到時，我仍不禁為之驚嘆。

同一時間，這邊廂的柳芬亦不敢怠慢，把握機會跑向Rhea的懷中，期望她忙於應付小勳之時會有進攻的機會。

然而Rhea也不是省油的燈，她同樣訓練有素。雖然她體格較大，不擅長迴避，但其力量之大，足以輕鬆擋下攻勢。面對小勳突進的刀鋒，她只微微側身，用力一撥，就把小勳推成滾地葫蘆，彈飛到遠處。

# 第十章

宿命對決

她接着轉身向柳芬揮拳。由於她戴有指節套環，拳擊威力驚人，只要中一下就可能即時昏迷倒地，柳芬不敢貿然接下，也不敢冒險進攻，只靠身體擺動及揮動雙手把她的攻擊卸開。柳芬忙於防守，根本沒有餘暇進攻，眼見沒有優勢，她施展一個蹬步彈後重新保持適當距離。

小勳這時再次站穩，向我這邊作了一個手勢：那是 S 機關的新暗號，所以 Rhea 等叛將也沒看過，那是代表要速戰速決的意思。也對，趁 Rhea 還未使用特殊能力就把她收拾掉，是最好不過。

我們於是立刻展開第二輪攻勢，這次由柳芬作先鋒，再次衝向 Rhea 懷中，小勳則在她的身後左右亂竄，等待進攻的機會。

Rhea 自恃力量強大，以為柳芬只會照舊卸開攻擊，故自信地向前擊出一記直拳。不過，柳芬這次突然變陣，強行用包着外套的雙手接下重拳，然後快速地把外套向外一翻，包住了 Rhea 的手，並用力一扯，令 Rhea 失去平衡俯身向前。

「機會來了！」柳芬以雄壯的聲音大喊，小勳應聲疾衝，以小刀刺向 Rhea 的背部！

眼看小刀快要刺進 Rhea 背部之時，冷不防間，一陣氣流就像穿梭機升空一樣，突然從 Rhea 身上猛然爆發出來，她的動作亦瞬即加快了好幾倍。在極短時間之內，她調整了腳步來回復平衡，再向橫踏開了一步，避過了小勳的攻擊。我們這邊的攻勢完全被化解了。

然而她並未有停下來，並已集中精神面對着我。她的拳頭猛然一縮，另一隻手飛快地替自己解開外套的纏繞，雙手已回復無拘束的狀態，並再次向柳芬打出一記直拳！

　　這一連串的動作快得我幾乎無法看清，不要說是我，即使是 Michelle，她應該也早已中拳昏倒過去。猶幸柳芬反應敏捷，勉強用雙掌擋住了攻擊，但因威力驚人，也被打得跌坐到地上。

　　基於本能反應，柳芬已立刻雙手撐地打算恢復站姿，可是由於剛才以赤手空拳接下重擊，她似乎被指節套環突出的部分刺傷了，一陣麻痺及刺痛流過雙手，無法發力撐起身之餘，更失平衡倒臥到地上。

　　這下麻煩了，柳芬處於完全無法防禦的狀態。Rhea 察覺到機會來了，自然不打算放過我，她已舉起拳頭蠢蠢欲動，只要她衝過來，重擊倒在地上的柳芬，我們就死定了。

　　幸好機警的小勳察覺到形勢刻不容緩，已早一步握着小刀再次疾衝向 Rhea。這時他雙手高速一揚，並且大喝：「不要動！」

　　在那一瞬間，形勢又發生了 180 度的轉變，原本正要出手殺害我們的 Rhea，速度感消失得無影無蹤之餘，也突然陷入險境，被小勳以小刀從後脅迫。

　　Rhea 自知背向小勳相當不利，於是想在不驚動他的情況下，慢慢把身子轉過去。不過，小勳不讓她這樣做，對她怒吼：「我說：不！要！動！」說罷，他更把刀鋒向前移，頂着 Rhea 背部，以行動作出警告：要是你敢再動半分，恐怕就會皮開肉裂！

　　情況喘定，我稍為回想剛才發生的事，才明白能力者之間的對抗已在不知不覺間展開了。

　　5

　　最初 Rhea 發出猛烈的氣流，是因為她使用了特殊能力「時間膨脹」。「時間膨脹」是 Rhea 的高階能力，顧名思

\\\\\\\\\\\\\\\\\\\\\\\\\\\\\\\

# 第十章

宿命對決

義，就是令時間變長，其他人的一秒，對於 Rhea 來說卻變成數秒，可作的行動大增，因此在我們眼中，她的動作快得無法跟上。此能力為個人能力，只對使用者有效，所以不需要預備動作。不過，高階能力自然有「使用限制」……不，與其說是使用限制，對這能力來說是「副作用」較貼切，因為使用此能力的人將會急促衰老，而衰老速度則視乎她使用的「膨脹倍率」，而且以指數式上升，所以小勳剛才說 Rhea 比之前明顯成熟了。

小勳的能力則剛好相反，名為「時間散失」。跟「時間膨脹」的最大分別，是「時間散失」屬領域系能力，因此他必須揮動雙手來使用。使用期間，在他的領域範圍內，除自身以外所有東西的時間都會變慢。不過，小勳的領域相當狹窄，半徑只有一米多，所以現在只有 Rhea 在他的領域內，而我則在領域之外，我的時間未有變慢。

為什麼小勳的領域範圍這麼小？領域範圍是靠訓練來提升，但自從小勳覺醒能力後，我們一直禁止他使用，因為能力的副作用同樣可怕，會令使用者變得年輕。「回復青春」經常出現在護膚產品的廣告內，這副作用聽起來好像很好，是不少女性夢寐以求的效果，但實際上，如果使用過度，使用者將會變回小孩甚至嬰兒，逐漸失去行動、語言、甚至自理能力。

現在，大芬使用「時間膨脹」加速，小勳則使用「時間散失」令她減速，一加一減，二人處於平衡狀態，雙方皆沒有優勢。

危機暫時退去，在領域外的柳芬慢慢重新站起來，但雙手仍未復原，右手無力地隨身子擺動着，左手情況則較好，她嘗試握拳多次後，好像漸漸控制得到力量，於是在腰間拔出求生小刀，打算在他們二人僵持之時，借機殺掉 Rhea。

不過，就在柳芬正要拔足跑過去的一刻，小勳及凌博士就分別大喊——

「不要過來！」

「不要進去！」

柳芬被喝止後，一臉茫然地怔住，直到小勳開口補充，他才恍然大悟：「你進來的話，就會成為領域內唯一時間變慢的人，會反過來被 Rhea 攻擊的。」

柳芬聽罷站在原地發呆，一時間不知如何反應。老實說，我也不知道應該如何是好。Rhea 及小勳二人現在互相牽制，雙方顯然都不敢有所行動，因為只要其中一方增加「膨脹倍率」或「散失倍率」，另一方必然會作相應提升來抗衡，最終只會加速副作用，對雙方都沒有利。

但另一方面，在領域外的我卻無計可施。由於在小勳的領域內，所有東西都會減速，包括死物，所以即使我在外面使用遠程攻擊（例如投擲小刀），相信效果有限，更有可能令小勳陷入混亂狀況。

攻擊不行，不攻擊小勳又會繼續變年輕，到底我要怎辦呢？

凌博士這時指示柳芬代她發問：「小勳，你現在使用的倍率是多少？」

小勳以手勢回應：五倍。凌博士沒說話，退到一角，似乎在利用「神算術」，默算着小勳的能力剩餘時間。

同一時間，小勳決定改變策略，打開口牌道：「Rhea，你猜到底是你先老死，還是我先變回胚胎呢？」

Rhea 雖然保持着僵硬的姿勢，內心卻激動不已地說：「快停手！我不想你死！」

# 第十章

宿命對決

「你先停手，那我就不會死。」小勳反過來恐嚇Rhea。

「不，我停下來就會被你刺死。」

「對呀！現在不是你死就是我亡，全看你的選擇而已。」

「不，繼續下去，你會先過度年輕而死。小勳，不要這樣！」

雖然Rhea這樣說，小勳仍一臉自信地反駁：「這只是你的推測。我們二人的副作用速度有別，你根本不知道到底誰會先耗盡生命。」

「不，直覺告訴我，你會先玩完。」

「直覺嗎？姐姐你還是如此不科學。」

「小勳，」Rhea突然變得溫柔地勸說：「不要這樣好嗎？」

小勳也收起一直的凶狠，無奈地回應：「我也不想這樣，但我沒有選擇的餘地。既然你不願意投誠，我只能盡全力跟你拼了……」

面對姐弟之間的生死相搏，我們還未來得及哀傷，小勳忽然以暗號示意我們「快逃」。

柳芬不擅長思考，他只猶豫不決地瞪着小勳，並未有行動。

「走啊！」小勳只好大喝：「只要成功了，一切都能逆轉過來。」

我明白，我們繼續待在這裏沒有幫助，但獨自離開亦未免太過分。不過，凌博士這時在意識界內說：「沒辦法了，為

今之計，是我們盡快去找下一個笛卡兒四律。柳芬，我們起程吧。」

　　柳芬雖然不太願意，但也只得按照指示行動。臨行前，他向小勳作了個「保重」的暗號，就頭也不回地離開演講廳。一向硬朗的柳芬，似乎也為他們二人有所感觸……

　　一路上，凌博士分析說，小勳在之前對付 Mimas 時曾使用能力，她當時要求研究部為小勳作身體檢查，包括測量骨骼及肌肉年齡等，用以計算「散失倍率」及年輕化速度之間的關係。她剛剛默算過，按小勳現在減慢速度五倍的情況計算，持續使用能力的話，他的壽命只剩下不多於一小時。

　　這答案是殘酷的，然而倒過來想，只要我們在一小時內解決所有事情，小勳就不用面對生命威脅。柳芬聽到這話後，立刻加快腳步，跑到科學館的地下繼續搜尋剩餘的笛卡兒四律。

　　想起來，我們剛才啟動的「枚舉律」，意思是指把真理套用在各種事物上作徹底的檢查。可是，我們 S 機關所認定的真理，卻無法套用到 Rhea 身上，也不能令她信服。到底是真理愈辯愈明，還是真理其實不只一個？

　　另一方面，我們要年紀輕輕的小勳作如此殘酷的決定，我們的內心並不好過。不過，誠然如小勳所說，只要我們找到金教授及迅子，一切都能逆轉過來。

　　我們都不能回頭了。我們現在可以做的，就是勇往直前吧？

# 第十一章　悲劇英雄

（本章以高健的視點進行）

# 第十一章

悲劇英雄

1

我和單車成功戰勝 Dione，逃出她的「遊戲會場」後，就拔足趕往二樓，繼續搜尋笛卡兒四律。特別是我們從她的口中得知，第六國度的其他成員已潛入了科學館，我們更加不敢怠慢，務求避免再次受到襲擊之餘，也盡量減少 Shirley 及小勳要承受的風險。

不過，說起來，Shirley 及小勳更比我們早一步找到「枚舉律」，也就是說他們那邊很順利了吧？而且，樂觀點來看，現在「分析律」及「枚舉律」已啟動，這就代表我們已完成了一半行動，距離找到金教授已不遠了。

「胖呦半！」在我們趕路的途中，我的手機傳來訊息，這是 S 機關成員專用的音效。為免耽誤行程，我本打算一邊趕路一邊看訊息，然而當我看到內容後，身子卻不期然僵硬起來，呆站在原地不懂反應。

單車發現我突然急停，竟然只是為了手機，不悅地問：「你在搞什麼？這個時間還有閒情玩手機？你不會告訴我，是時間打金屬龍或者要收割粟米吧？」

「不……我……」我不知如何解釋，索性遞上手機說：「你自己過來看……」

該則訊息是由 Chris 傳來的，上面雖然只有寥寥數字，卻令我們震撼不已——

「小心第六國度，對不」

訊息顯然已盡量簡潔，但 Chris 最後連「對不起」三個字還未打完，似乎就發生了什麼事，只好強行發出。雖然這訊息並不一定代表他那邊出了事，但他提醒我們小心，那就代表他已沒有能力阻止第六國度。而且，他們那邊有行動部

B 隊及支援部的手足，如果只是他一人不敵，也未必需要提醒我們，換句話說，那邊一定傷亡慘重得無法繼續行動⋯⋯

單車看完後微微低下頭來沒有說話，我們二人寂靜無言，被一片陰沉的氣氛籠罩着。畢竟，如果不是 Chris 他們幫忙拖延第六國度，我們也無法趕來科學館；可是正因如此，我們卻害了他們⋯⋯

回想起來，剛才率領第六國度的核心成員，據知只有 Tethys 一人，單是她就足以令基地內的成員傷亡慘重？到底這名奇女子的特殊能力有多強大呢？

再有成員犧牲，而且規模如此大，我們理應傷心欲絕，但無奈地，形勢不容許我們繼續消沉下去，我們也只得繼續行動。還是那一句：只要找到金教授，一切都能挽救回來。我們已無退路，只能破釜沉舟，背水一戰了。

2

我們經扶手電梯回到二樓，發現科學館這層主要分成兩邊：一邊是電訊廊，另一邊是有關交通、家居科技及食品科學的展覽。

單車早前估計，笛卡兒四律很可能平均分布在科學館內，每層各有一個。基於這個考慮，由於電訊廊佔地較大，第六國度較易埋伏，我們於是選擇先搜尋另一邊，如果找到了，我們就不用冒險進入電訊廊。

到達另一邊後，我們二人分頭行事——這本來是不被允許的，而我也擔心單車的安危，不過事情已發展至如斯田地，犧牲者眾多，我們也顧不得這麼多，速戰速決比什麼都來得重要。幸而過程順利，沒有遇到任何襲擊，而我們的冒險也有回報——花了不到十分鐘，我就在交通展覽的範圍，發現了顯示着「自明律」的小熒幕。

# 第十一章

悲劇英雄

單車收到通知，立刻趕過來。他蹲到我身旁，盯着熒幕說：「『自明律』是笛卡兒四律之一，意思是……」

我知道讓他繼續說下去的話，肯定又是長篇大論，將浪費難得爭取回來的時間。我遂故意打呵欠來打斷他的話：「啊呵！」然後補充：「是什麼意思也不重要吧？」

單車向我翻了一下白眼。不過他想了想，似乎也明白我的苦心，苦笑着回應：「也對，那你快啟動裝置吧。」

事情順利得不能想像，當刻我也天真地以為，我們在這層的行動即將告一段落。不過，暴風雨的前夕總是風平浪靜，一切顯然都來得太安穩。就在我正要按下「啟動」鍵之時，我的身體突然不由自主地僵硬起來。

單車見狀問我：「高健？你怎麼不按？」

我當然想開口回應原因，但我發現我竟然連張開嘴巴說話也不能。我就像武俠故事中被點了穴一樣，無法動彈……

不，我錯了！

因為在下一秒間，我的身子就動了起來，卻並非出於自願。接下來，我竟不受控地站起來，並且轉身，準備離開交通展覽的範圍。

「喂！高健，你要去哪？」單車看到我的行動，也暫時丟低了「自明律」，緊張地追着我問。

我依然無法開口回答。期間，我嘗試用力控制身子，包括物理上使勁，又或者集中意志用念力控制肌肉，我甚至誦唸經文，祈求能驅除惡鬼的支配。我知道我變得有點神經質，但那種感覺實在太可怕。我清楚看到自己的行動，卻無法控制，那份恐懼，令我不得不想盡辦法脫身，包括嘗試不

科學的方法。人在無能為力之時，會變得迷信、相信神鬼之說，實在無可厚非，而我亦終於體會得到。

不過，無論我多努力，嘗試怎樣稀奇古怪的方法，最終我還是無法自控。單車一直追着我，不斷向我提問，更嘗試用力拉着我，但我的力氣比他大，並沒有任何成效。不一會，我已離交通展覽區愈來愈遠，還步進了科學館另一邊的電訊廊。

一步進這邊，我就嗅到一陣來歷不明的酸味。跟另一邊分散成三個主題的展覽相比，電訊廊這邊顯得很寬敞，展品亦較多。我起初不明白，為何我會不受控地來到這裏，然而當我開始走到近電訊廊中央位置時，我就明白這不是巧合，因為我看到一台顯然不屬於展品的大型機器。

如果要我勉強形容，我會說這像是街機的遊戲機台，而且是體感遊戲般的大型機台。機台分成左右兩邊，每邊各有兩個升起了約半個梯級高的小台，合共即有四個站立位置，構成二對二的形勢。在每個站台前，均設有兩個紅色按鈕，分放在左右兩邊，似乎是供左右手各自操控。

這看來真的很像遊戲機台，但詭異的環節卻在後頭。在各站台的上方，都有一個極大的透明容器，內裏暫時什麼都沒有，卻連接着機台中央另一個更大、不透光的黑色容器。而且，如果要說這是遊戲機台，卻欠缺了最重要的東西：熒幕。四個站台前都沒有熒幕，只有兩個按鍵而沒有畫面，到底這裝置是什麼葫蘆賣什麼藥呢？

在我研究着這大型裝置之時，身體未有停下來，我繼續走，並已走到其中一個站台上。

單車當然不會丟低我，他仍未死心，一直拉着我追問：「高健，你到底想怎樣？」

**第十一章**

悲劇英雄

「我都想知道答案！咦？」冷不防間，我竟成功開口回應。我不期然怔了一怔，也有點如釋重負的感覺。

可是，在同一時間，單車卻激動地指着我大叫：「喂！你的手腳！」

我回過神來之時，發現我的雙手已按在機台上的兩個紅色按鍵上，而手腳亦分別被手鐐及腳鐐鎖着，這意味着我已被固定在站台上，無法離開。

「怎會這樣？你為什麼會突然走過來這邊？現在又麼又會被鎖着？」

面對他一連串的提問，我當然不知道答案，既焦躁又有點不快地回應：「我怎知道？剛才我整個人都不受控制啊！」

「不受控制？」可幸單車跟我不同，他沒有受我的情緒影響，反而冷靜地思考了一會才說：「難道是洗腦？你之前也曾經試過。」

「但跟上次不同，這次我清楚知道自己正在做什麼，也看得見，只是無法控制自己。」

「那就奇怪了……」單車似乎想不出答案，那憑我的智慧也不可能知道原因。

就在我們苦無頭緒之際，一把陌生的女性聲音從電訊廊的深處傳來：「你們不用猜了，是我帶你們來的。」

3

我抬頭一望，看到一名身形嬌小的女子從電訊廊深處，一眾展品的後方慢慢步出。我辨認女性的能力一向較差，一時間想不出她到底是誰。

　　單車熟知我的脾性，在我的耳邊輕輕提示：「她是 Tethys，即 Titan 的代筆。」

　　「還有我。」與此同時，另一把熟悉的男聲亦從深處的另一邊響起。相對 Tethys，這次我還未看到人，已認得出這人就是叛徒 Iapetus。

　　我的怒火燃燒起來，向他們怒吼：「你們二人把我抓住，到底想怎樣？」

　　較先步出的 Tethys 已走到我們面前，她不慌不忙地回應：「我想跟你們這對最佳拍檔玩遊戲。」

　　「神經病！」我破口大罵：「我們剛從 Dione 的『遊戲會場』逃脫，才沒時間又跟你們玩。」

　　「Dione 太仁慈了，」Iapetus 這時也走上前來加入道：「我早就猜到她不會大幅提升關卡難度，結果果然被你們輕易完成。」

　　Tethys 插嘴附和：「所以她現在受到報應，要永遠被困在自己的領域內，活該！」

　　單車聽到他們二人批評自己的成員，不忿地反駁：「不！你們利用了她對夢想的執着，她才會落得如斯慘況。都怪你們第六國度！」

　　「小朋友，不要說得這麼難聽。」面對單車的批評，Tethys 回敬他說：「她不是也利用我們，才當上電視節目主持嗎？我們花了大量金錢及資源在她身上，沒料到她始終對組織不太忠誠。要說慘的話，彼此彼此而已。」

　　「歪理！你們不打算利用她，就不會被她反過來利用。有報應的應該是你們！」單車看來相當同情 Dione，繼續向 Tethys 反擊。

# 第十一章

## 悲劇英雄

不過，Iapetus 並不打算讓這場口舌之爭無了期地繼續下去，他勸退隊友道：「Tethys，我們這次來不是要跟他們辯論，還是正經事要緊。」

她瞥了 Iapetus 一眼，帶着不甘心的眼神說：「也對，我們特意把這台機器帶來，總得讓他們嘗嘗被背叛的滋味。」

單車的好奇心發作，問：「你們是怎樣把這龐然大物帶到這裏來？」

「你還有心情尋根問究？你先顧好自己吧！到底你們兩『兄弟』誰先背叛對方？我實在很期待。」Iapetus 說。

「別傻了，我們是不會背叛對方的。」我堅決地回應。

「是嗎？我相信很快你們就會後悔，嘿！」Tethys 說罷奸笑起來。

單車眼見話題又一次拉遠了，只好追問：「喂，說了這麼久，你們到底要怎樣才肯放開高健？」

「利用這機器跟我們二人進行一場平等的遊戲，勝出了，你們就可以無條件離開。嘿！」Tethys 在語末再次奸笑。

單車沒有回應，他裝作需要討論，走到我身邊低聲問：「我們現在怎辦？真的要跟他們玩嗎？」

我想，第六國度既然連大型機台都可以運入科學館，相信他們已大舉潛入，Shirley 和小勳一定有危險。我們剛才已因 Dione 浪費了大量時間，我不想單車跟他們繼續糾纏下去，我於是建議：「你回去啟動『自明律』，然後立刻去跟 Shirley 二人會合。」

「不行！那你怎辦？」

「我自會想辦法，你不用擔心我。」縱然我為了令他安心而這樣說，但實際上我的手腳被鎖住，又怎會想到辦法呢？

　　可惜對方也猜到我們的計劃，Tethys 勸我們死心：「遊戲未開始，你們就想逃走？不要傻了！高健你被我們束縛着，單憑單車一人，就算避得了我，也不可能逃出 Iapetus 的追捕。你們還是乖乖跟我們玩這個名為『囚徒對決』的遊戲吧！」

　　4

　　Tethys 說得沒錯。事實上，我現在被鎖住了，他們二人要對付單車可謂易如反掌。正因如此，他們為何不直接對付我們，反而要迫我們玩什麼遊戲，我實在想不通。

　　不過，既然他們選擇對我們較有利的行動，我也不會笨得放棄機會。尤其在找出我剛才為何會「失控」之前，貿然反抗對我們相當不利，因為那極有可能跟 Tethys 的能力有關。

　　我跟單車打了個眼色，示意別無他法。他無奈地嘁一下嘴後，就代我向他們二人回應：「好。那個『囚徒對決』的遊戲到底怎樣玩？」

　　「嘿嘿！算你們知機。」Tethys 高興地說，而 Iapetus 就緊接着開始解釋：「在正式說明遊戲之前，我先說一下跟這遊戲有關的背景：『囚徒困境』。囚徒困境（Prisoner's Dilemma）是博弈論中，非零和博弈的經典例子之一。常見的囚徒困境如下：警方拘捕了甲、乙兩名疑犯，但根本沒有足夠證據指控二人有罪。」

　　我插嘴道：「就像現時經常聽到的濫捕情況一樣。」

　　Iapetus 只瞪了我一眼，就沒再理會我，繼續說：「警方於是使計，把兩名疑犯分開囚禁，並分別跟他們會面及提供以下選擇——

一、若其中一方認罪，並協助警方指證對方（「背叛」），而對方保持沉默（「合作」），背叛一方將即時獲得釋放，而另一方將判監十年；

二、若雙方皆保持沉默（即互相「合作」），則二人同判監半年；

三、若雙方皆指證對方（即互相「背叛」），則二人同判監五年。」

單車點點頭，他似乎已聽過「囚徒困境」，沒有提問的必要。然而我只是第一次聽，遂把自己的想法說出來，順道確認我沒理解錯：「那雙方互相合作，不就是對整體最好的行動嗎？」

「從整體來看，互相合作的確是減少總監禁年期的最佳辦法。」Iapetus 認真地回答：「但由於雙方無法溝通，又或者即使二人能夠溝通，對方告知的選擇也未必可信，兩名囚犯於是只能從自身角度出發，去作出選擇，而結果將會跟此大相逕庭。」

稍頓一下，他見我未有再追問，就繼續說：「明白了囚徒以自身利益作考慮後，我們再看他們會如何選擇。假設兩名囚徒都是理性的人，而且沒有其他外力或原因干預他們的選擇，由於他們二人面對的情況一樣，所以他們這時只要細心考慮對方的選擇，就必然會得出相同結果——

甲、若對方選擇『合作』，他選擇『背叛』就能即時獲釋；

乙、但若對方『背叛』，他也必須『背叛』，才能得到較短的刑期。

顯而易見，『背叛』是兩種策略之中的優勢策略，理性的雙方最終都必定會背叛對方，結果二人同樣服刑五年。」

　　我聽到實際結果後驚嘆：「怎會這樣？明明二人合作對雙方都較有利！」

　　「現實是殘酷的，在理性及利己的角度下，這就是唯一結果。當然，在現實中不一定如此極端，二人可以因應對對方的忠誠及信任，作出其他考慮及選擇⋯⋯」

　　Tethys 這時插嘴，緊接着 Iapetus 的話補充：「而這個選擇，就是你們二人即將要面臨的考驗，嘿！」

　　背景說明完畢，單車仍舊保持沉默，我亦不知道應該說什麼好，唯有默默地盯着他們，Tethys 就接力開始正式遊戲說明：「『囚徒對決』正是基於這個背景而設計。遊戲將由四名『囚徒』，以二對二形式進行。雖說是二對二，但只要出現一名輸家，遊戲就會結束，其他人就能安然離場，我們二人亦承諾不會再騷擾你們。」

　　我對他們的承諾半信半疑，而且他們二人不再騷擾我們，也難保其他成員不會，但我們暫時沒有選擇的餘地，只好暫且順從他們及聽下去。

　　「遊戲的玩法很簡單：在我們四人面前，都有兩個按鍵，只要其中一方的一名囚徒持續同時按下，每六秒鐘就會令另一方的計數器合共增加 1%；其中一方的兩人同時按下，另一方就會每六秒鐘合共增加 2%。不過，在按下按鍵的同時，亦會令自己暴露於計數器被增加的風險，沒按鍵的卻不會被增加。

　　舉例說，甲乙雙方的二人都同時按下按鍵，每六秒鐘，甲方會令乙方二人的計數器合共增加 2%，乙方同樣令甲方二人合共增加 2%；由於四人皆有按鍵，將同時面對計數器被增加的風險，所以四人的計數器就會各增加 1%（2% ÷ 2）。

　　如果甲方只有一人按鍵，乙方二人都按，那麼六秒過後，甲方的計數器將合共增加 2%，乙方增加 1%；由於甲方只有一人按鍵，有按下按鍵的人將會增加 2%，沒按的人不會增加，而乙方二人則各增加 0.5%（1% ÷ 2）。」

　　這部分有點複雜，我在腦內把有關情況列成圖表，方便明白實際的增幅——

| | | 甲方 | |
| --- | --- | --- | --- |
| | | A、B皆按鍵 | A按鍵，B不按 |
| 乙方 | C、D皆按鍵 | A、B、C、D：+1% | A：+2%<br>B：±0<br>C、D：+0.5% |
| | C按鍵D不按 | A、B：+0.5%<br>C：+2%<br>D：±0 | A、C：+1%<br>B、D：±0 |

　　Tethys 的解說繼續：「遊戲將一直進行，直至某人的計數器最先到達 100%，就是輸家；如果有多於一人同時到達 100%，就會同時輸掉遊戲。可以想像，如果我們四人由始至終都一直壓着按鍵，我們四人將同時到達 100%，同歸於盡。不過，這是不可能發生的，嘿！

　　另外，為了防止任何一方的兩名玩家同時逃走，當其中一人鬆開按鍵時，他的同伴雙手雙腳就會被立刻鎖上，強制壓下按鍵之餘，也無法離開，就像高健現在這樣。」

　　遊戲看來並不複雜，簡單來說就像「囚徒困境」的情況，只要我方二人一直通力合作，持續按鍵，就能令對方的計數器不斷增加，最快到達 100%。我實在想不到鬆手不按的理由。

　　我向單車點頭示意大致明白，他也作出同樣動作。只是，單車看來比平日沉默，他看來若有所思，難道他覺得遊戲有古怪？

　　我跟他合作已久，他現階段不開口說出疑問，應該是還未想通，我也不便打擾他。我改為追問 Tethys：「這機台好像沒有熒幕，那計數器到底在哪？我們要如何得知讀數呢？」

　　經常奸笑的 Tethys，這時的表情突然變得更加陰森，而且露出好像「你中計了」的卑鄙笑容。她尖聲冷笑後說：「嘿！計數器，就在你的頭上！」

　　「頭上？」我不解地問，同時抬頭一望，卻因角度問題而什麼都看不到，只好環顧四周，發現在其他三個站台上方都有剛才已留意到的透明密封容器，從光澤看來，應該是玻璃，容器上亦清楚標明了刻度。

　　看到容器上的刻度後，出於直覺，我感到遊戲並不是講玩，一陣強烈的恐懼油然而生，我知道可怕的畫面即將呈現眼前。

　　不一會，Iapetus 作了一個彈指動作，中央的黑色大容器頃刻變成透明。那是 S 機關的技術，說穿了其實只是在透明容器的夾層中注入黑色液體，所以我並不因此震驚，然而我還是怔住了，因為這時我看到透明容器內的淡黃色液體。雖然不知道那是什麼，但我看到液體表面籠罩着陣陣黃色煙霧，不用化學知識，也可以判斷那絕不是尋常的化學品。

　　單車看到後也顯得相當震驚，他瞪大眼睛問：「那該不會是王水吧？」

　　「果然是 S 機關首領之子，甚有科學頭腦。」Tethys 眉飛色舞，狀甚興奮地回應：「沒錯，那正是王水。」

# 第十一章

悲劇英雄

名稱我是知道了，但那到底是什麼呢？我的科學常識有限，只好尷尷尬尬地問：「王水即是什麼呢？」

單車戰戰兢兢地向我解釋：「王水的正式名稱為硝基鹽酸，是由一比三的濃硝酸和濃鹽酸混合而成。硝酸和鹽酸的酸性本來已相當強，結合起來成為硝基鹽酸後，酸性和氧化能力更強，亦是少數能夠溶解金和鉑（俗稱白金）的物質，也因此得名『王水』（Aqua regia，拉丁文，意即 King's water）。」

Iapetus 補充：「王水是不穩定的化學物，極容易分解，暴露在空氣中會冒出黃色煙霧，所以我們現在把它盡量密封，減慢相關反應。不過，要完全密封太困難，所以還是會有一點點洩漏了出來。如果你鼻子靈敏的話，應該會嗅到一點點酸味。」

Tethys 也高興地插嘴：「一般新鮮混合而成的王水是透明，氧化後會變成黃色甚至橙紅。現在你看到的只是淡黃色，代表仍相當新鮮呢，呵呵！」

我得知可能受到王水的威脅，不禁緊張起來，有點明知故問地再次確認：「那……你們說的計數器，就是我們頭上的容器？」

「對。」Iapetus 更詳細地說：「當其中一方按下按鍵時，王水就會注入另一方的容器內。當王水到達 100% 的刻度，即容器完全注滿了，容器底部的活門就會打開，王水將傾瀉至輸家頭上。為防無辜人士受傷，那時站台四側會升起玻璃圍板，防止液體濺出，也方便……」

Tethys 這時再次興奮地插嘴，把 Iapetus 未完的話說完：「方便其他人看到屍體被溶解的情況！嘩哈哈！」

5

　　我和單車聽罷這一連串的說明後，緊張得身子完全僵硬了。這遊戲實在太危險了，我不能讓單車冒險，更不能想像他可能被王水腐蝕。

　　Tethys 看到我的反應，變得更加亢奮，開口「安慰」我們道：「其實你們不用擔心，因為這遊戲有『必勝法』呢！」

　　我們二人面面相覷，因為聽到她的語氣，就知道她所說的必勝法必定不懷好意。單車察覺到她的用意，不屑地說：「哼！你不會說必勝法就是背叛同伴吧？」

　　果不期然，她道出的真相跟單車所想不謀而合：「你真聰明，這遊戲的必勝法，就是以最快的速度背叛同伴！跟囚徒困境不同，在囚徒對決中，背叛者是絕對安全，不單能全身而退，而且完全不用承受任何懲罰呢！這遊戲說穿了，其實就是鬥快背叛同伴啊！」

　　我氣憤地反駁：「神經病！我們才不會這樣做！我們會一直按着，等你們先背叛對方！」

　　「哈哈！你似乎搞錯了一件事。」Tethys 這時再次展現出極盡陰險的笑容，把我們最後的希望抹殺掉：「在遊戲開始後，我就會控制 Iapetus 的身體，死命壓着按鍵，所以你們不用妄想我們這邊會先放開按鍵。到底是我們四人同歸於盡，還是你們其中一人犧牲同伴而救活剩餘三人，我實在很期待你們的選擇呢！」

　　我終於知道早前為什麼會無法控制身體，Tethys 剛才一時脫口已透露了原因，原來就是被她控制了，看來那就是她的能力。

　　咦？我細心一想，既然她的能力是控制他人，那她也可以再次控制我，又或者控制單車。雖然我不知道該能力的詳

## 第十一章

悲劇英雄

情及有否使用限制,但遊戲開始後,如果她不控制 Iapetus 按鍵,反而控制我或單車其中一人鬆手,我們不就會立刻輸掉遊戲嗎?

單車顯然也想到了這一點,他比早我一步提出異議:「這不公平!Tethys 如果在遊戲開始後……」

「小朋友,我是不會這樣做。」Tethys 猜到他想說什麼,立刻解釋:「我們大費周章準備這台機器,就是要看到你們二人互相背叛對方的一刻。如果只是要殺死你們,我們隨時都可以做到。」

「我才不相信!」我反駁:「第六國度如此陰險,壞事做盡,無所不用其極,又怎會讓你們做如此無聊的事,只為見證我們互相背叛?」

Iapetus 這時心平氣和而認真地向我解釋:「第六國度並不是你們想像中那樣,相反,組織對成員其實相當寬容,也很支持我們的個人行動。」

「你不用騙我們!你是他們的成員,當然替他們說好話!」

「事實並非如此。你們剛才遇上 Dione,應該知道她的能力限制,她的關卡必須要有明確的解,卻沒有難度限制。如果 Cronus 有心要殺死你們,你們會這麼容易逃出她的魔掌嗎?事實上,Cronus 讓 Dione 自行決定有關安排,而她基於主持人的尊嚴,沒有把關卡的難度無限度提高,你們才有機會逃脫。」

我對 Iapetus 的話半信半疑。他的話的確有點道理,但第六國度為什麼要給成員如此彈性?我實在想不通。

Tethys 見我們一臉猶豫,不忿地說:「信不信由你,你們可以選擇不玩啊!別忘記,單靠我的『影子支配』,就能應

付你們基地的所有人，而你們現在更肉俎砧板上，Iapetus
只要直接抓住單車，而我則操控機器，讓王水直接傾瀉向高
健，一切就完了，嘿嘿！」

　　單車跟我打了個眼色，示意別無他法，我亦點點頭同
意，無奈地決定參與囚徒對決的遊戲。

　　不過，我們總算有點得着。Tethys 真是大嘴巴，竟在
短時間內兩次脫口——除了能力的內容外，剛剛又告訴了我
們，她的能力名為「影子支配」。

　　Ӄ

　　在沒有選擇下，單車不情不願地走上旁邊的遊戲
台，Iapetus 及 Tethys 也跟着走到另一邊，分別站在我和單
車的對面。我們四人壓下按鍵，遊戲正式開始，水聲亦立刻
從我的頭上傳來。當然，我並不會忘記，那不是普通的水，而
是能把人體腐蝕的王水……

　　當單車壓下按鍵後，鎖着我的手腳鐐就收起了。雖然我
身經百戰，但不知為何仍是很緊張，可能我很害怕那王水，也
擔心單車會被王水弄傷容貌。我用力地壓着按鍵，深怕自己
一不小心鬆了手，就後患無窮。

　　或許正因為我實在太緊張了，時間對我來說過得很慢。
我一直盯着單車頭上的容器，讀數至今只有 3%，也就是說
我們實際上只過了十數秒。

　　**{現時各人頭上的王水讀數：**
　　**單車、高健、Iapetus、Tethys：3%}**

　　「讓我再次提醒你們，」Iapetus 在遊戲開始後首先
開口：「我們這邊是絕對不會鬆開按鍵。到底要四人同歸於
盡，還是你們犧牲一人來救活剩餘三人，就看你們的造化
了，嘿嘿！」

# 第十一章

悲劇英雄

　　話雖然出自 Iapetus 的口，但語氣顯然是屬於 Tethys，換句話說她已如早前所述，控制着隊友的身體。而另一邊廂的「真‧Tethys」，則閉上眼睛，木無表情地站着。

　　我才不會讓他肆無忌憚地宣揚歪理，反駁道：「那才不是救活三人！我們四人本來就活着，是你迫我們進行這種殺人遊戲！」

　　他冷笑一聲，沒有回應。

　　單車這時想跟我商討對策，由於我們雙手皆按着鍵，無法打暗號通訊息，他只好在敵人面前說：「但如果他所言屬實，我們根本沒有勝算。」

　　我安慰單車，同時故意激怒對方道：「不用擔心，我相信臨近 100% 時，Tethys 就會先放手，畢竟沒有人會在背叛他人前先作預告啊！」

　　Iapetus 只冷笑一下，同樣沒有就此正面回應。不過，他話鋒一轉，改為集中向單車遊說：「單車，高健說得對，沒有人會在背叛他人前先作預告，所以我勸你還是先鬆手好了。你身旁站着的，可是冷血無情的殺人兇手啊！」

　　「這是什麼意思？」單車反問。

　　「你有『永久記憶』，照理不會忘記，」Iapetus 稍頓一下，展露出深邃的表情續說：「高健在科技大學的演講廳內，是如何凶殘地殺死 Titan 吧？」

　　我終於明白，他們原來打算以心理戰離間我們。

　　單車聽到 Iapetus（實際是 Tethys）的話後，身子陡地一震，同時作出噁心想吐的表情，他顯然是回想起當時的情況。這跟我的認知不同，我吃了一驚，立刻緊張地問：「單車，你當時不是昏迷了嗎？」

他一臉不安地低吟回應：「我是看到那一幕後才昏迷的……」

「嘿！」Iapetus 繼續煽風點火：「你當然希望單車昏迷了，他就看不到你的惡行。你主動殺死 Titan 已經夠壞，還要挑斷他的手筋腳筋，破壞他全身的肌肉，令他血流成河，變成血淋淋的肉團，人不似人，鬼不似鬼，就像……」

我見單車感到更加噁心，擔心他真的會忍不住嘔吐，而且讓 Iapetus 繼續說下去也只會愈描愈黑，我遂大喝來打斷他：「不要再說了！我是有苦衷的！」

「苦衷？大部分殺人魔都說自己有苦衷……」

我不理會他，直接向單車解釋：「單車，你聽我說！凌博士之前告訴我，Titan 的『語言力場』還有一個用法，叫『永久封印』，可以在臨死前以性命換取效果，令領域範圍內的所有人今生今世都無法說出當時的禁語。這個效果實在太可怕，如果成功，我們以後就等同失去說話能力，所以我才一定要跟着你回科大補課，以防他成功使用。

不過，凌博士並不知道 Titan 實際要執行『永久封印』時的動作，只知道那是高階能力的一部分，所以一定會有什麼『儀式』。當時 Titan 中了自己的能力後，快要窒息而死之時，我看到他好像想作類似『結手印』的動作，為了不讓他有任何行動，我才要阻止他，就這樣而已，我不是有心弄得如此血腥，我實際上也為此非常不安呢！」

單車有點半信半疑地望着我，Iapetus 繼續挑撥我們：「這件事只有你一人知道，你要說什麼都可以啊！」

「凌博士就是不忍心單車留下可怕的回憶，才把這個重任交託給我，她吩咐我時，Chris、Vincent 及 Gary 當時也在場……」我說出這句話後，才想起他們三人現在都不可能

# 第十一章

悲劇英雄

為我作證。慘了，我現在就像「無間道」一樣，到底要如何才能證明自己的清白呢？

不過，就在這時候，一直默默聆聽的單車終於開口，他怒喝一聲：「你們不用再爭辯了！」他成功把我們的注意力吸引過去後，勉強擠出一道幾乎看不到的微笑，望着我說：「我相信高健。」

Iapetus 並未放棄，仍想動搖單車：「你真的相信那個殺人魔的說話嗎？」

「我稍後找凌博士求證，自然一清二楚，犯不着你操心。你不用再花心機離間我們了。」單車堅定地回應。

「嘿嘿！嘿嘿！」Iapetus 聽到後，突然失常般前後搖擺身子並狂笑起來。我一直盯着他的手，期望他仰後之際會不慎鬆手，然而他雖然不斷移動身子，手掌卻如黏合在按鍵上一樣，絲毫沒離開過。

我和單車不明所以地望着他，單車按捺不住問：「你笑什麼？」

「嘿！」他終於停止了笑聲，以不屑的表情回應：「我笑你愚蠢，竟然相信身邊的殺人魔！」

「夠了！我就說了你不用操心，他是否殺人魔我自會……」

冷不防間，Iapetus 打斷單車的話，並提出驚人的問題：「那你最心愛的圓圓貓，現在又在哪呢？」

單車聽罷身子猛烈一震，他終於想起一直遺忘了的重要事情！

單車平日看來雖然很冷靜，但其實是非常重情的人，只要跟他在意的人和事有關，他就會一反常態地熱心，所以他

對 Dione 因為第六國度而永久被困很不服氣，也為 Titan 被殘殺一事如此緊張。不過，相比起來，他們二人也是「外人」，圓圓貓卻是「親人」。如果我不好好解釋這件事，單車或許真的會因為意氣用事而瘋狂起來。

事情突然急轉直下，我唯有趕緊說明：「單車，你不要誤會。我到達你的家時，圓圓貓正保護其他跟父母及主人失散了的幼貓，是牠不願離開，我才沒強行把他帶回來。」

Iapetus 再次插嘴分化我們：「你冒充完凌博士說什麼『永久封印』後，現在連貓也要替牠代言嗎？如果是這樣的話，你為何不一早跟單車解釋？你不用假惺惺了，圓圓貓是你殺死的！」

「神經病！圓圓貓是單車的至愛之一，我才不會……」

然而單車這時突然面容扭曲起來，他狀甚痛苦地喘着氣，好像發了一場惡夢一樣。他回想起更多事情，一本正經地瞪着我說：「高永健，我想起了，你回來基地之時，褲腳沾上了血漬及貓毛。」

我認識單車至今，他幾乎沒呼喚過我的全名。他突然如此嚴肅，又直呼我的真名，他顯然不再信任我。那臭小子，我在背後替他做這麼多事，他不感謝我，現在還懷疑我？我跟 Iapetus 對嘴這麼久，早已相當憤怒，這時終於按捺不住，高聲反問單車：「哈？你叫我全名？那即是說，你不相信我？」

單車繼續板着臉質問我：「我都想相信你，但你怎樣解釋那些貓血及貓毛？」

「我爬進了你的牀底，所以沾上了貓毛，但那不是貓血！」我大喝還擊：「我們離開你的家時，暴民正在附近破壞，我和 Gary 奮力抵抗，才能平安回來！」

「又是 Gary？他都無法作證了！」Iapetus 又一次乘機挑撥。

我對 Iapetus 三番四次離間我們實在忍無可忍,遂怒髮衝冠,指着 Iapetus 大喝:「你收聲!我和單車說話與你何干!」

然後,我聽到「咔」的一聲,並看到單車瞪大空洞的雙眼望着我,我才發現自己已鑄成大錯……

7

「登登登櫈!」Iapetus 看到我的動作,雀躍地宣布:「背叛者終於出現了!是高永健先背叛了單車!」

「呀!」我連忙收起指着 Iapetus 的手,火速按回紅鍵,鎖着單車的手鐐腳鐐瞬即收起,再次發出「咔」的一聲。可是,當我抬頭一望,我就明白即使我已經以最快的速度收拾殘局,事情已恨錯難返。

{現時的讀數:
單車:30%
Iapetus、Tethys:28.5%
高健:28%}

雖然只是六秒,但我自知闖下大禍,不知所措地一口氣說:「單車,我不是有心的!對不起!慘了!現在怎辦?」

儘管我誠心道歉,但單車看來已誤信 Iapetus。他冷笑了數聲:「哈……哈……」然後冷淡地說:「當日我被 S 機關救回來,臥病在牀時,我就覺得你有古怪。我當時只不過是不小心吐出一個『殺』字,並立刻把話題引開,但你仍執意追問那個字的意思。我現在終於明白,原來你害怕我發現了你殺人魔的本性!」

「單車,我剛才真的不是有心,只是因為那賤人不斷挑釁,我才不小心鬆了手。這樣吧?你現在也鬆開手一會,就扯平了。」我已完全沒轍,只好盡力解釋並提出這笨笨的建議。

「已經沒用了。」他繼續以一副撲克臉解釋：「即使我鬆開手六秒，讓我們二人的計數器重新同步，但我們的數值已比他們高，他們只要一直按鍵，我們最終只會一同滅亡。一個人死，總比兩個人死好，算了吧，你其實做得對⋯⋯」

「你誤會了，我真的不是有心背叛你⋯⋯」想了想，既然現在已別無他法，錯誤是由我造成的，我只好承擔責任道：「是我錯，結果就由我獨自面對好了。單車，你現在就離開這裏，王水就由我應付吧！」

Iapetus 這時插嘴，更故意強調「貓」字：「你現在還要『貓』哭老鼠？你就知道單車重情義，即使先被你背叛，也不會反過來背叛你，你才會提出這種建議。說起來，這樣真好，只要單車一死，就再沒有人知道你是殺人魔一事，你就能夠大搖大擺繼續殺人，例如殺死⋯⋯Shirley！」

「你收聲！」我再次大喝，不過這回我很小心，沒有因情緒激動而鬆手。為了令單車回心轉意，我想把不能說的也宣之於口：「單車，我是不會背叛你的，因為⋯⋯因為⋯⋯」可是，我吞吞吐吐，最終還是沒有勇氣說出口。

眼看着頭上的王水有增無減，單車又誤會我有意背叛他，到底我要如何做才能扭轉如此劣勢呢？莫非真的如他們所說，我會害死單車？

冷靜！我一定會想到辦法。單車只是一時意氣用事才誤信讒言，我只要想辦法令他重新相信我，事情就會有轉機。

在忙亂之中，我以我人生另一最重要的人為話題，希望單車會明白我的心意：「單車，我以媽媽楊鈃的名義起誓，我剛才真的只是不小心，我是絕不會背叛你的！」

我焦急地把話說，才驚覺自己無聊，這不就跟《金○○少年之事件簿》的笨蛋主角一樣，總是以爺爺的名義起誓

第十一章

悲劇英雄

嗎？我不明白，為什麼他要以別人的名義發誓呢？這不是推卸責任及輸打贏要嗎？

不過，沒料到，我這番說話竟收到效用，單車聽罷身子微微震了一下。不過，說來奇怪，連 Iapetus 也有相似的反應⋯⋯

但在這之後，單車又毫無反應地發着呆。臭小子！那即是怎樣？怎麼要在這重要時間發呆呀笨蛋！

咦？

發呆？

在我仍整理着一片混亂的思緒之際，單車突然開口道：「高永健，我想通了。正如我早前所說，一個人死，總比兩個人死好，不過，要死的不應該是我！」

我吃了一驚地呆望着他，這時他更向我怒目一瞪，並提高聲量說：「你這殺人魔的報應，任由它不顧的話，不知道何年何月才會降臨，就由我替天行道吧！」

說罷，他竟一臉高傲地鬆開了按鍵。

8

單車輕鬆地伸展着雙臂，並緩緩抬起頭望着各容器，從容地以左手替右眉搔癢。

在這段時間，我一直沒有說話，Iapetus 似乎也無法理解單車的行動而驚呆了。十多秒過去，單車才施施然把手放回按鍵，把我從拘束中解放過來。我本能地抬頭一望，發現單車、Iapetus 及 Tethys 頭上容器的讀數皆是 39%。

奇怪了，他們三人讀數一樣的話，那我就應該是最高吧，即是⋯⋯我的數學其實還可以，但在這緊張關頭，我實

在沒有心力去推算自己的讀數，尤其是我根本想不通單車到底在做什麼！

我記得他早前說過，他發呆即是在思考，所以我剛才還高興了半秒，以為他想到令我們二人全身而退之法，但他之後卻是胡言亂語，又無故鬆開按鈕，到底他是什麼葫蘆賣什麼藥呢？

「喂！那即是怎樣？」我焦急地問。

「我剛才不就說了嗎？」他仍一臉高傲地說：「你這種殺人魔罪有應得，現在你的讀數最高，稍後就會受到王水的洗禮。而且，我已受夠了你的無能，高遠健！」

「你……你叫我什麼？」他剛才直呼我的全名，現在又突然吐出令人尷尬的花名，我再一次氣上心頭，忘記了身處的狀況，大喝：「喂！你不是答應過會不在陌生人面前說嗎？」

「那又怎樣？你已背叛了我，我還守什麼信用！」他一臉目中無人，輕佻地說：「說起來，這花名跟現實根本不符！你都什麼年紀了，剛才還無端把自己的母親搬出來，到底你是年紀小、發育不全，抑或缺乏男性荷爾蒙？我說啊，你不應該叫高遠健，應該叫『高遠不健』，那部位根本不健全。哈！真像日本人的姓名呢！高遠不健、高遠不健、高遠不健……」語末，他不斷重複那個令我羞恥到極的新花名。

單車一向熟知我的弱點，他竟在敵人面前說盡最難聽的說話來奚落我。Iapetus 聽到我們吵起來，臉上盡露那種作壁上觀的興奮，令我倍感不爽。

單車顯然已失去常性，並非像平日只是跟我鬧着玩，我也不能讓他如此得意，反擊大罵：「臭小子，你不要得寸進尺！你以為我真的不會打你嗎？」

# 第十一章

悲劇英雄

「打我？高遠不健這種娘娘腔，會打人的嗎？嘩哈哈！」

終於，我忍受不了單車的氣燄，決定要跑過去教訓他。我知道這意味着我再次鬆開按鍵，但事已至此，我們二人終歸有一人會死，而即使我已打算在最後關頭為他犧牲，他現在如此無禮，我在死前也得好好教訓他一頓來洩憤。

由於他雙手被鎖，我只能從旁抓着他的肩膀，拚命搖晃着他，喝道：「你這笨蛋到底想怎樣！」

他雖然勉強保持囂張的神色，卻不時滲出疼痛的表情。他手腳被鎖，我卻用力搖晃他，手鐐及腳鐐一定弄痛了他。我本來特意這樣教訓他，但看到他的表情時，我又一時心軟鬆開了手。

他這時臉色一轉，由囂張無禮，突然變得愁雲慘霧。他既悲傷又半帶憤怒地說：「貓真是死得很慘！貓會報仇！」

他及後像瘋子般不斷重複，我覺得我有必要糾正他說：「我都說圓圓貓沒死！至少在我離開你的家時牠仍安全！我真的沒有殺牠！」

「貓死了！貓真的死了！高遠不健，你就是貓，貓會報仇！」他繼續瘋言瘋語，但期間眼神突然銳利了半秒，向我的腳底偷瞄了一眼。

單車時而高傲無禮，時而悲痛哀傷，說實在，我也快被他逼瘋了！到底他在搞什麼鬼？難道他真的受不了刺激而瘋掉了？

不！想真一點，單車這些古怪行動一定有什麼意思！

首先，他故意用我的弱點來惹怒我，背後顯然有其他目的，因為如果只刺激我至暴怒而衝過去打，對他根本沒

有好處，只會令他的計數器急速上升，除非他是想犧牲自己來救我。

問題是，如果他計劃犧牲自己，他還要想辦法把我趕走，他卻沒有這樣做，只是在胡言亂語。換句話說，「胡言亂語」才是重點所在，因為敵人可以清楚聽到我們的對話，所以他不能正面提示，必須用只有我才有可能或較易理解的話。

總結一句：單車已想到辦法！我要做的，是想辦法從他的說話及行動中，找出背後隱藏的真正意義。

單車這時依然在重複說着：「『貓』死了！『貓』真的死了！高遠不健，你就是『貓』，『貓』會報仇！」我細心一聽，發現「貓」字比其他字的語氣都略重，只是微妙得不易察覺。

我想，我已明明白白地告訴他，圓圓貓沒有死，但他堅持這樣說，還說我就是貓，那即是暗示「貓」並不是指圓圓貓，而是另有所指。那到底是什麼呢？

另外，他剛才還瞥了我的腳底一眼。我的腳底根本沒有什麼，下面就是地板。難道是指地板之下的東西？那就是一樓，但我沒「永久記憶」，又怎可能記得科學館一樓的這個位置是什麼？

眼見單車的讀數已到達 64%，再不快一點，他就有麻煩，但我又不能言明我猜不到。幸好單車也察覺到我的問題，但裝傻要裝到底，他只把說話中的內容稍作修改：「高遠不健，你就是『貓貓』，『貓貓』會報仇！」

咦？「貓」變成了「貓貓」，而第一個貓字音調較低，聽起來就像「茅貓」⋯⋯

# 第十一章

悲劇英雄

而且，他亦有再次偷瞄我腳下的位置。如果不是地板之下的東西，而是我腳底與地板之間的話⋯⋯

呀！我終於知道他的意思了！

ㄐ

為免暴露接下來的行動，我假裝怒氣仍未消，繼續搖晃着他道：「笨蛋收聲！」實際上，這次我的力度有限，單車亦配合着我的動作，自行有節奏地搖擺上身，減少拉扯到手腳而造成的疼痛。同一時間，我亦由原本站在我們二人的站台之間，慢慢移到站台的外圍。

Iapetus 至此仍未察覺到我們的異樣，繼續高興地欣賞我們內訌。就在此時，我在冷不防間衝到機台的另一邊，向在單車對面、木頭一樣站着的 Tethys 揮出一記重拳！

我早已對 Tethys 恨之入骨，尤其她剛才不斷唆擺，我才會不小心鬆手而令單車誤會，幸而單車不知何故似乎又原諒了我，所以我為了洩憤，幾乎用盡全身氣力，正常人在無防備情況吃下這拳，輕則會被打飛到遠處，嚴重的甚至會頸椎受損。

可是，我的拳打中了 Tethys 後，她不單沒有被擊倒，還繼續呆若木雞地定在原位。我的拳就像打在木頭一樣，手立時傳回一陣赤痛，同時因為衝擊力過大而發麻了數秒。如果不是看到她嘴角滲血，我還以為她有什麼神功護體。

「喂！你瘋了嗎？怎麼過來打我？」Iapetus 為自己真正的肉身受傷不忿地大喝。

本來我無功而還，照理一定會不知如何是好，但我看到她如此緊張，又想起她被擊中後似乎也有受傷，我的攻擊一定起了若干程度的效用，我於是再次擊出重拳，打向她的另一邊臉頰，而她口中滲出的血液亦頓時增加。

「夠了！你們真是有病！」Iapetus 面對我們這難以理解的行動，嘮嘮叨叨地問：「單車明明在說什麼貓，你怎麼會突然改為攻擊我？你們不是不和嗎？」

「高健，不要理他！」單車自知時間無多，而且反正行動已經敗露，沒必要隱瞞下去，他催促道：「直接用求生小刀攻擊，讓她感受一下『殺人魔』的真正威力。」

當然，單車口中的「殺人魔」，如今只是一種諷刺或戲謔，我明白他已重新全心全意相信我。我聽從建議，從腰間拔出小刀，準備刺向 Tethys 的腹部。哼！即使是木頭，也敵不過尖銳的刀鋒了吧？

上一次我凶殘地對付 Titan，全為了保護單車，這次也是一樣，我們二人必定能全身而退！

不過，計劃並未有順利地進行下去。「可惡！是你們迫我的！」Iapetus（實際上是 Tethys）看到自己的肉身面臨危機，忿忿不平地吐出這句話後，我的身體就突然再次不受控制地僵直起來。

雖然我無法控制身體大部分的肌肉，但我的眼球仍能自由轉動。我留意到在我「失控」那一瞬間過後，Iapetus 的身子顫抖了一下，就像夢中驚醒一樣，而 Tethys 則繼續呆站着。從這個畫面可以推斷得到，Tethys 解除了對 Iapetus 的控制，改為操控我！

話說回來，我之所以會直接走過去打 Tethys，全因單車的提示。剛才他不時偷看我的腳底，暗示的其實是我腳下的「影子」，引伸出 Tethys 的能力「影子支配」。既然 Tethys 剛才正在操控 Iapetus，她的真身就處於無防備狀態，正是進攻的良機。

另一方面，單車的口中一直提着貓，其實並不是圓圓貓，而是那隻名為「貓」的貓，即是在「白色異境」一事中，被

# 第十一章

悲劇英雄

凌博士佔據了肉身的短毛貓。我記起，當時在遊戲「迷霧中的王者」中，單車及單博士都被鎖在椅子上，我和 Shirley 則在水池內，眾人都動彈不得，唯一例外就只有安坐在單車膝上的貓，牠可自由行動，而當時為了救我，貓偷偷攻擊主持人 Cronus。單車說「我就是貓」，就是希望我像「貓」一樣突襲 Tethys。可是我一直無法理解，他就變調說成「茅貓」，音近「媽媽」，即是凌博士，來進一步提醒我。

雖然我終於領悟到他的意思去襲擊 Tethys，可惜還是功虧一簣，我在成功殺死 Tethys 前竟被控制了身體。眼見自己再次不受控，我當然緊張起來，但最令我擔憂的，是我這時開始轉身，慢慢走回單車那邊。

「喂！你怎麼走回來？」單車見狀大為緊張，大呼過後，猜到背後的原因：「你不是又失控吧？」

我想回答單車，更想叫他逃走，然而無論前者抑或後者都是不可能——我無法開口回答，雙手提着小刀，一步一步慢慢走向單車，而他亦因機關的拘束無法離開半步。我逐步走近單車，他頭上的王水又同時不斷累積，這就等同死神雙手分別拿着兩把奪命鐮刀降臨到他的身上！

「不要！停呀！」我在腦海中拚命大叫，但實際上卻連半個音節都無法擠出口。路程走了一半，我和單車只剩數個身位之隔，那一刻，我真是欲哭無淚，難道我真的會親手殺死單車？

10

「咔！」就在這時，我聽到一下既熟悉、又令人疑惑的聲音。「我」（其實是控制着我的 Tethys）低頭一望，竟發現有人從後緊抱着我，企圖阻止我繼續前進。「我」吃了一驚，開口大罵：「Iapetus！你背叛我？」

場內能這樣抓着我的，顯然就只剩下 Iapetus。他離開了站台，所以那「咔」的一聲就是 Tethys 肉身被鎖的聲音。但他為什麼要這樣做？

「這個遊戲的重點，就是鬥快背叛同伴，這不是你說的嗎？」Iapetus 的話雖然相當諷刺，但他仍一如以往平淡而認真地說。語畢，他立刻改為催促單車：「我沒時間跟你解釋，你快想辦法刺激高健，讓他奪回身體的控制權。」

「刺激高健讓他奪回身體的控制權？」單車不解地反問。

「你不是在『白色異境』時成功過一次嗎？那時其實也是 Tethys 在背後控制高健。」

「我……」然而單車即使知道已有先例，仍顯得很猶豫：「那次其實是凌博士播放了高健母親的錄音帶，跟我無關。」

Iapetus 雙眼閃爍了一下，無奈地嘆了一口氣，似乎也不知如何是好。

「喂！你們二人不要沮喪，快想辦法呀！」我在內心吶喊，可是他們根本無法聽到。情況真是愈來愈糟，雖然 Iapetus 力氣之大成功暫停了我刺殺單車的行動，但單車頭上的讀數迫近 80% 了，繼續這樣蹉跎下去，單車也是會死的！

　　**{現時的讀數：**
**單車：**80%
**高健：**48%
**Iapetus：**52%
**Tethys：**56%}

在這危急存亡之秋，單車再次開口，微微低下頭，尷尬地輕聲道：「我有一句話一直藏在心內，但……我怕真的會太刺激高健……」

聽到單車這句話，我的心瘋狂亂跳，單車該不會是……

# 第十一章

悲劇英雄

可是，Iapetus 聽罷只皺皺眉，潑單車冷水道：「算了！你那句話，不外乎是『高遠不健，你很細、很短』之類吧？」

「咦？你怎知道……」

喂呀！你們二人還有心情拿我來開玩笑！我哭笑不得，真心想再一次教訓單車，但即使欲望如此強烈，我還是控制不了身體。

我不能親手殺死單車，也不能親眼看着他被王水腐蝕，到底我要怎樣才能奪回身體的控制權？

上一次我是怎樣做的呢？我根本記不起，因為那次跟這次不同，當時我是毫無意識。

我仍在絞盡腦汁，想盡力幫他們一把之時，冷不防間，我好像感覺到 Iapetus 比之前抓得我更用力更緊。他把頭靠近我的耳邊，一股久違了而熟悉的溫暖傳達到我的心坎內，他的聲音亦變得有點哽咽地道：「健健，我就是你的哥哥高永揚。」

聽到這句話，我的雙眼不期然瞪到最大，一股熱氣從我的肝臟湧到全身，我臉紅耳赤，意識瞬即混沌起來，大量有關哥哥的遠久記憶在腦內瘋狂流竄。這種失控暴走的熱能在我的體內醞釀了不一會，就累積成一陣不能自已的激動，從心深處爆發出來，直衝向我的頭頂。

「呀！」同一時間，痛苦聲從 Tethys 那邊傳來。我轉身一望，發現她半蹲到地上，頭壓在桌面，雙手抱頭呻吟。如果不是受到拘束，她應該早已倒在地上翻滾。而我手上的小刀這時亦掉到地上，我才驚覺已經能夠重新控制身體。我並沒有浪費一分半秒思考原委，馬上先跑回站台，壓下按鍵，令人安慰的「咔」的一聲傳來，我才驚訝地追問 Iapetus：「你是我的哥哥？你沒死？但你的樣子完全不同了。」

「整容而已，這不難理解吧。」

我疑惑地追問：「為什麼你要這樣做？」

哥哥是內奸一事昭然若揭，Tethys 亦大勢已去，他於是不慌不忙地一邊解釋，一邊代我們監察着單車頭上的讀數：「就是為了要保護你。你應該知道，媽媽當年覺醒了『平行宇宙記憶』，並預言你將會死於『白色異境』內。她向凌博士以死相諫前，把事情告訴了我。事後，凌博士決定暗中推翻計劃，我於是借老爸再婚一事離家出走，加入了凌博士的團隊。我在她的協助下整容，並改名換姓，潛伏在 S 機關內。我當時的代號 Seung，其實就是來自我的名字揚（Yeung）。」

「所以 Shirley 說當日是你帶她避開 S 機關的耳目，找到凌博士的秘密基地。」

「嗯。」他仍一臉平靜地回應，這跟我印象中十多年前熱血、有衝勁的哥哥相去甚遠，看來他在這十多年來成熟了不少。稍頓一會，他繼續耐心地解釋：「單博士改邪歸正放棄計劃，之後 Cronus 背叛 S 機關並騎劫計劃時，我以為凌博士真的死了，於是改投 Cronus 門下，等待以其人之道還治其人之身的一日，背叛及瓦解第六國度，沒料到錯有錯着，現在真的幫到你們。」

「慢着！」我突然想到不合理之處，反駁道：「那你為何要利用『定位探知』，帶第六國度的人襲擊基地？我們的成員現在都失去聯絡了！」

「那其實跟我無關。」哥哥無奈地嘆了一口氣：「我雖然擁有『定位探知』的能力，但一直以來都沒幫上他們什麼忙。我過去謊稱能力的準確度有限，又或者被 S 機關欺騙，給予他們的多半是錯誤資訊，只是 Dione 一直被 Cronus 蒙在鼓裏，才以為跟我有關。當日他們懂得去科大找你們以及這次成功找到基地，並不是我，而是……」

「我明白了！」我已猜到真兇，遂立刻打斷他的話，避

# 第十一章

悲劇英雄

免單車知道真相而不高興。

哥哥誠懇地向我們道歉：「對不起，我未能在大型傷亡出現前提醒你們，因為 Cronus 的監察實在很嚴密。」

我問：「那你現在背叛了第六國度，Cronus 不就會知道嗎？」

「對，所以我已經回不去了，只好『跪求』你們收留我。」他聳聳肩打趣道。

十多年了，即使哥哥曾以 Seung 的身分待在 S 機關，我亦不曾在他的身上感受到輕鬆的感覺。雖然此刻他的嘴角連一絲牽動都沒有，但我知道他已盡力想令我高興。想起他這麼多年來故意隱藏身分，就只是為了我，我實在感動得差點哭起來。

不過，只是差點，因為在我雙眼開始閃爍起來前，他提醒道：「單車，你的容器快滿，差不多要放手了。」

單車聽從指示鬆開按鍵，哥哥亦緊接告訴我現在眾人的讀數——

**單車：**94%
**高健：** 56%
**Iapetus：**52%
**Tethys：**94%

手鐐及腳鐐「咔」的一聲再次把我鎖起，可是這回我並不緊張，因為現在只剩下我和 Tethys 按着鍵，而我的讀數遠比她低，我們已肯定能送她上西天了，剩下來的只是時間問題，不到一分鐘後就是她的死期。

Tethys 這時仍痛苦地按着頭部，拼命地掙扎，單車見尚有時間，好奇地問：「話說回來，Tethys 為何會如此痛苦？」

哥哥回答：「她的能力是『影子支配』，所謂的影子，其

實是指人內心的影子，即潛意識。她的能力就是控制人的潛意識，藉此令當事人無法正常活動。她的能力雖然沒有使用限制，卻會有嚴重的後遺症——如果她的能力被破解，她就會遭反噬，肉體及精神都會受到嚴重傷害，就像現在一樣。不過，一般人無法控制潛意識，除非有非常強大的刺激，能喚醒潛藏在意識深處的記憶，才有可能破解。」

單車再問：「但我不明白，她為何要控制高健來迫使我們進行囚徒對決這遊戲？她為何不直接用能力來控制我們自相殘殺？」

「因為單車你曾經成功破解了 Tethys 的洗腦術。當日她花了數星期時間才康復過來，她擔心如果再次控制高健襲擊你，你在有生命危險時說不定又會想到什麼方法破解，歷史可能重演。另一方面，你擁有『永久記憶』，可隨意進出意識界，如果你在意識界內找尋重要的記憶來刺激自己，也可能自我衝破控制，所以她改為用如此迂迴的方法對付你們二人。

而且，Tethys 一生過着的都是『影子人生』——當代筆作者、幕後代唱、幕後策劃行動等，她一直渴望成為主角。她想藉着這個遊戲，令你們二人反目成仇，並殺掉你們其中一人。當你們其中一人死後，另一人就不足為患，這樣她就成為第六國度的功臣，不再只是影子。」

事情總算清楚明白，哥哥這時比我早一步建議：「時間差不多了，單車你還是別過臉去較好。」

雖然哥哥的外貌完全不同了，但仍如此細心，令我確信他的說法。他深明單車擁有「永久記憶」，無法忘記可怕的遭遇，上次已看到我殘殺 Titan 的過程，這次還是不要看到Tethys 慘死較好。

# 第十一章

悲劇英雄

{現時的讀數：
單車：94%
高健：62%
Iapetus：52%
Tethys：100%}

　　單車轉身走到遠處。這時機關啟動，Tethys 的站台附近升起了透明的玻璃圍板，王水同時傾注而下，不斷蠶食 Tethys 身體。王水的威力果然驚人，她慘叫了一不會，就失去繼續叫喊的能力——她已經死了，她的屍體亦變得不堪入目，甚至不似人形，場內亦籠罩着一陣難以形容的酸臭味。

　　這場遊戲應該完結了，我如此認為，因為據 Tethys 早前所說，在囚徒對決中只要出現一名敗者，遊戲就會結束。現在 Tethys 死了，照理單車、哥哥和我也能全身而退。然而，說來奇怪，鎖着我的手鐐腳鐐仍未解除，而且不知道是否幻覺，我好像聽到頭上仍有注水聲。這機台的延誤有這麼久嗎？抑或……

　　「咦？怎會這樣？」哥哥突然一臉驚恐地指着我的頭上道。

　　這一刻，我終於明白並不是幻覺，我頭上的王水果然仍在增加！

　　11

　　單車聽到這句話後，也顧不得這麼多，盡量以手遮蓋 Tethys 身處的位置，轉身過來一看究竟。他看到實際情況後亦緊張地問：「王水還在增加，怎會這樣？」

　　一直非常冷靜的哥哥也顯得有點不知所措，無奈地回答：「我也不知道，跟 Tethys 早前說的不一樣。」

　　「Iapetus……Seung……嘖！什麼都好了，你快想想辦法吧！」單車開始緊張得六神無主地求救。

哥哥吩咐單車留在原位，自己走到 Tethys 的位置看看到底出了什麼問題。他檢查了一會，已大致知道原因：「雖然 Tethys 的身體大部分都溶解了，但雙手前臂不在圍板之內，沒被腐蝕，現在仍固定在按鍵上。」

「是這裝置的錯誤設計造成！」我緊接着說：「當手鐐上鎖後，雙手會被壓向按鍵，所以即使她已死，根本無法用力，她的按鍵依然被壓着，所以我這邊的王水就繼續累積。」

或許單車救我心切，精明的他這時竟也提出愚蠢的建議：「那 Seung 你去按一下另一邊的按鍵，不就能鬆開 Tethys 的手嗎？」

「不行！」我連忙喝止：「萬一 Tethys 的手鬆開了，機關就會倒過來鎖住哥哥，他不就會白白枉死嗎？」

我們完全沒轍了。哥哥想了想，嘆了一口氣道：「看來這不是設計錯誤，而是她本來就有意這樣做。想起來，Tethys 似乎早已察覺到我的異心，她不單想藉囚徒對決這遊戲來殺死你們二人，當你們其中一人輸掉遊戲後，她自己就會鬆手離開，這樣就能連我也一同消滅。」

「可惡！」單車不忿地大喝後，再次心急如焚地催促：「那我們現在怎辦好？高健頭上的讀數已 80% 了！」

「單車，你冷靜點！」我雖然受到王水威脅，但也明白焦急是沒有用。我安慰單車道：「以你的智慧，一定會想到辦法救我的。」

經我鼓勵後，單車總算重新振作起來。他對我點點頭後，就跟哥哥一起進行各種測試。

可惜，一輪努力過後，單車帶來的只是壞消息：「我們剛試過用木條代手按鍵，但機關沒有任何反應。可能必須與站台配合，有足夠的重量在站台上，才算成功按鍵；又或者

# 第十一章

## 悲劇英雄

按鍵會探測體溫。然而讀數現在已90%了，只剩一分鐘時間，附近又沒有適合的東西⋯⋯」

我明白他的意思，即是說我沒救了。我幾乎絕望，吞吞吐吐地說：「這樣嘛⋯⋯哈哈⋯⋯不要緊，那單車你帶哥哥去繼續旅程吧⋯⋯媽媽的預言，最終還是要實現，只是遲了幾個月發生⋯⋯」

就在我以為死定了之際，哥哥突然一臉興奮地說：「不！我想到辦法了！」

咦？哥哥由剛才至今，即使跟我重逢，也沒顯得如此雀躍，他似乎真的想到解決辦法。他信心滿滿地續說：「方法很簡單，但要單車幫忙一下。」

單車堅定地回應：「沒問題！時間無多，我要怎辦？」

「請你先回自己的站台，壓下按鍵。」

我聽到哥哥的建議後吃了一驚，因為單車的讀數已經94%了，還要再次站回去，不就很危險嗎？但正如單車所說，時間無多，我亦無謂多言影響他們。

單車站上去後，我的束縛就解除了，哥哥接着說：「之後高健你下來。」

我不明所以地瞪大眼睛望着他。他看到我猶豫不決，鼓勵我道：「沒事的，你先下來，事情很快就會解決。」

單車也加入說：「相信你哥哥吧⋯⋯」

他們二人一唱一和，我雖然不安，也只好按照指示離開站台。單車隨即被鎖上，但不一會，哥哥又站到原屬於我的站台上，令單車重獲自由。而他這時亦緊接着放開按鍵，剩下哥哥獨自站在機台上。

我抬頭一看，92%，這是哥哥現在頭上的王水份量。

事情演變至此，我仍糊裏糊塗，無知地問：「然後呢？」

「再沒有然後了。」哥哥用盡全身的氣力，向我展現出重逢後第一個，亦是最後一個微笑。

我現在才驚覺哥哥打算犧牲自己。我幾乎失去常性，歇斯底里地大吼：「喂！這是騙我的吧？你不是說有辦法的嗎？喂！」

哥哥沒理會我，改為向單車交託：「你帶走他吧，我不想他看到我稍後的模樣。以後就請你代我繼續照顧他了。」

「好的，保重……」單車說罷拉着我的手，把我帶到別處。

我一邊失控狂呼，一邊跟着單車離開：「哥！哥！對不起！對不起！」

12

以單車的力氣來說，我堅決不走的話，他是絕對無可奈何，但我仍半推半就地離開，是因為我明白事情已沒有轉圜的餘地。我們三人之中，總得有人犧牲。我不會讓單車這樣做，而哥哥也不會讓我這樣做，所以……

離開電訊廊後，我停止了喊叫，而單車亦把我帶回交通展覽範圍。我們再次站在「自明律」前，我一直壓抑的情緒終於爆發出來。

我才剛跟哥哥重逢，卻立刻從此陰陽相隔，為的就只是這個什麼「自明律」？我壓得下淚水，卻按捺不住怒火，我忍無可忍，這時一巴掌重重地摑向單車的臉頰。

第十一章

悲劇英雄

單車吃了巴掌，頭向旁一側，淚水亦從眼眶溢出。他的淚珠巧合地彈到我的手背，微微的清涼感令我稍為清醒過來，而我看到他的反應，才驚覺太用力了。我再一次心軟道：「呀，我太大力了……」

「不，你打得對……」單車不知道是因為痛楚，還是過於自責，哭得更加厲害。他一邊抽泣一邊向我道歉：「對不起，是我害死你的哥哥。」

看到他這樣自責，我也不忍心再怪責他。我搭着他的肩，平和地問：「你是知道哥哥的想法，才配合他，是嗎？」

「嗯，對不起，是我騙了你，勸你相信他。我不是貪生怕死，在測試時，我曾偷偷向他建議由我來犧牲，靠你們兩兄弟繼續尋找金教授，因為是我有錯在先，我對你有偏見，誤以為你真的殺了圓圓貓，才會胡言亂語，令你不小心鬆了手。直到我聽到你以楊姨姨的名義發誓，我才知道我中了計，但一切都太遲了……」

「哥哥是不會讓你犧牲的……」我本想繼續回應，卻說不下去，怕我的淚腺也會失控。

我別過臉去，看到「自明律」的裝置，改為安慰單車道：「『自明律』的意思是『小心謹慎、避免偏見』吧？如果我早前沒打斷你，讓你清楚向我解釋什麼是『自明律』，或許我們也不會彼此誤會對方。你也不要責怪自己了。」

單車聽到此話後，就像小孩一樣，撲到我懷內大哭。我總覺得，他並不只是因為內疚，他就像要把我的悲傷也代為宣洩出來一樣嚎啕大哭。

我輕撫着他的頭髮，就像父親安慰兒子一樣。「沒事的，一切都能逆轉過來。」我在口中如此輕輕低吟。

良久，我們無可奈何地收拾心情，繼續餘下的旅程。

我們懷着沉重的心情啟動了「自明律」，畫面就作出如此顯示——

「『分析律』、『枚舉律』、『綜合律』、『自明律』已啟動。笛卡兒四律已齊集，通往真理之門開啟！」

在不知不覺間，Shirley又比我們快一步完成，也象徵着我們即將找到金教授及救世粒子「迅子」了。因着眼前的希望，我們悲傷的心情暫時退去，單車振奮地說：「Shirley那邊很順利呢！」

「嗯，地下室的門應該打開了，我們立刻趕往地下去吧！」

「好。」單車和應。

我們於是二話不說離開交通展覽區，打算直接到地下室跟Shirley及小勳會合。不過，剛踏上前往一樓的扶手電梯，我就突然想起一個重要的問題：Shirley現在到底怎樣？

說來奇怪，Shirley比我們早一步啟動了「綜合律」，完成了她那邊的任務，照理她應該跟我們聯絡及會合才對。可是我們現在從二樓返回一樓，不單看不到她的蹤影，也沒收到她的通知，那即是怎樣？她假設我們會自行到達地下室？

與其亂猜，不如借助單車的記憶協助。我問：「單車，我們四人兵分兩路時，有說過完成任務後的集合地點嗎？」

他閉上眼睛，想了想後回應：「沒有，我們只說過用通訊裝置聯絡。」

「那就奇怪了……」

# 第十一章

悲劇英雄

　　正當我們仍為此疑惑之際，我和單車的通訊裝置也同時收到訊息。

　　我們高興地拿出來看，訊息的確是來自 Shirley。可是，上面寫着的話，卻令我們心跳加速，而且不知所措——

　　「快逃！不要來地下室！」

# 第十二章　細小的衛星

（本章以Shirley的視點進行）

# 第十二章

### 細小的衛星

1

柳芬頭也不回地離開了演講廳後，不知何故，我突然想起了三年前，單車同學跟我一同解謎時說過的一句話：「苯是銅跟砷。」

原句是「本是同根生，相煎何太急」，正好形容大芬及小勳現時的狀況。他們二人為了各自的理念，不顧姐弟之情而大打出手。我雖逃離了現場，但回想起來之時，仍感覺到一陣無可奈何的悲哀。

當然，我亦想起 Michelle 跟單車同學一起解謎時，裝作無知解不開謎題，讓單車同學可以「表演一下」的情況......

柳芬似乎留意到我憂心忡忡的表情，突然開口說：「Shirley 小姐不用擔心，我們速戰速決，再回來救他們。」

柳芬仍未習慣在控制身體之時，同時跟意識界內的我們溝通，所以跟我們對話時總是把話直接說出口。

「嗯。」我回應。儘管我向他擠出一個微笑，但實際上我仍相當在意。雖說小勳的能力應該還能用上約一小時，但萬一小勳需要把能力的「散失倍率」提高，時間就會大幅縮短。而且，即使未到一小時，他們的身體變化依然會按比例出現。我實在不願看到小勳變回嬰兒，大芬變了老婆婆。

為今之計，正如柳芬早前所說，就是速戰速決吧？而我亦沒有把此事告知單車同學他們，免得他們操心。他們或許也正忙於應付其他第六國度的成員。

2

現在雖然只剩下我一人，猶幸還有其他人格陪伴，我才不致感到孤單。

我經扶手電梯到達科學館的地下。在這層，除了地下室所在的生物多樣性展廳外，還有環保廊，以及以力學、數學、生命科學、光學為主題的展覽。

看過地圖後，凌博士馬上在意識界內向我們建議：「我們先去環保廊吧？」

「為什麼呢？」柳芬開口問。

凌博士分析：「環保廊距離生物多樣性展廳最遠，亦剛好是上層演講廳的另一邊，從分散風險的角度來看，我覺得金教授把笛卡兒四律之一放在那裏的機會最高。」

柳芬似乎多少「繼承」了大芬的「智慧」，他不太明白什麼是分散風險，但仍按照指示行動。不過，我們到達後，第一眼看到的不是小熒幕，而是一名女子。

女子穿着緊身 T-shirt 及小熱褲，清爽得很地呆坐在地下。這人如果在以往和平的日子出現，應該是人畜無害，然而在今時今日的環境，我們無緣無故在科學館內看到陌生人，卻絕不會有好事發生。

「你好！」她一看到我，就異常雀躍地跑過來：「我終於看到正常人了！」

柳芬不擅交際，吃了一驚地彈後了一步。為了恰當地應付這女子，Michelle 急不待地搶過身體的控制權，假裝友善地問：「你為什麼會在這裏呢？外面很危險啊！」

她開朗地回應：「對呀！我就是為了逃避暴民的攻擊，才躲進這裏。」

聽到這個答案，Michelle 在意識界內向我們眾人打了個眼色，凌博士亦認同此話有可疑，但為免打草驚蛇，還是繼續觀察好了。

# 第十二章

細小的衛星

「你是怎樣進來的？」Michelle 追問詳情。

「我是從緊急出口進來。我看到正門有一群人正在毆鬥，混亂得很，然後不幸地被他們發現了我，在追捕過程中，我發現緊急出口沒有上鎖，於是就溜進來避開他們。」

「跟着你就一直躲在這裏？」

「對呀。一樓太近入口，我於是躲到地下來了。」

Michelle 在外邊繼續跟女子閒談，我和凌博士則在商量：「我們現在怎辦？我們還要找笛卡兒四律呢！」

「對。說起來，我由進來環保廊至今，一直細心觀察，但似乎找不到那個小熒幕。」

「我也沒發現。換句話說，我們要去其他展廳，但我猜她一定不會放過我們。」

「嗯。真避難又好，假避難又好，我們只好先帶着她吧。」

「原來如此，」Michelle 聽到我們的結論，順勢道：「我也是剛躲進來，不如一起行動，能互相照應。」

「好呀。」少女如釋重負地說，然後問：「我應該怎稱呼你呢？」

「我叫 Shirley，」Michelle 說：「你呢？」

「我叫 Phoebe，請多多指教。」

3

「原來她就是 Phoebe！」凌博士倒抽了一口涼氣，在意識界內大呼。她接着想通了什麼似的說：「說起來，她的特徵跟單車及高健形容的一樣，一定沒錯。」

這點說得沒錯，但她為何能在這裏出現？我一臉疑惑地問：「她不是跟 Vincent 一同在車子內燒死了嗎？」

「這就是問題所在！」凌博士嚴肅地回應：「在車子突發起火這種情況下僥倖沒死，本來已經難以想像，更重要的，是我們還在車內找到另一具女屍。」

「啊！她刻意調包來誤導我們！」

「對。單是這點，就足以肯定她一定有什麼企圖。我估計，她是想藉假死，方便暗地裏行動，例如偷襲單車或高健等見過她的人，不過，她遇上的不幸地是我們。」

Michelle 一直在外邊應付 Phoebe，這時也忍不住鑽進來問：「那把她帶在身邊沒有危險嗎？」

「危險，」凌博士說：「但不帶在身邊更加危險，難保她會在背後搞什麼小動作。我們現在只好一邊找笛卡兒四律，一邊監視她吧。」

離開環保廊後，Michelle 謊稱要巡查四周，以確認科學館內安全。Phoebe 沒有異議，並希望一同行動和互相照應，我們於是帶着她走到其他展廳。

我們先後「檢查」了最接近環保廊的力學及數學展廳，並未有「發現」。當然，對我們來說，發現是指有關笛卡兒四律的小熒幕，而非真的是什麼不速之客。

「這裏好像很安全呢！沒有其他人的蹤跡。」Phoebe 閒談般跟 Michelle 說。

「不能掉以輕心呢！」Michelle 和藹地說。說起來，自從我從 Cronus 手上逃出後，Michelle 已經好一段時間沒有這樣裝模作樣，我看着之時總覺得有點尷尬，不時回憶起過往她經常笑裏藏刀、欺騙他人的過程……

# 第十二章

細小的衛星

　　接着，我們到達光學及鏡子世界的展廳。我和凌博士繼續集中精神留意四周，結果一進入展廳，我就從其中一塊鏡的倒影中，看到鏡子世界的深處有一細小發光物在地面，很大機會就是四律之一。

　　「Michelle，你冷靜聽我說。」我在意識界內提示：「在你『九點鐘』的方向，那塊鏡子的後面似乎藏有笛卡兒四律。」

　　Michelle 走進來快速說了一句：「但 Phoebe 在我身邊，直接過去的話，恐怕她會阻礙我們甚至破壞裝置，那就麻煩了。」

　　凌博士這時加入對話，分析說：「回想剛才啟動『枚舉律』時，我們比單車他們快，而之後我們亦沒有被其他事情耽誤太久，照理如果現在再啟動另一律，應該是第二或者第三個而已，地下室的門不會立刻打開。我在想，如果我們能想辦法引開 Phoebe，趁她不為意時啟動，然後再把她帶到別處，這樣單車他們啟動第四律後，就能交由他們前往地下室。」

　　「好，那我想辦法引開她。」Michelle 明白計劃後，回到現實，向 Phoebe 裝作興奮地說：「呀！這裏比之前的各個展廳都要大呢！」

　　Phoebe 這時緊隨步入展廳，似乎多少受 Michelle 影響，也如小孩子般高興地說：「是啊，而且好像很有趣，尤其那邊的光學實驗。」她指着小熒幕的反方向道。

　　這簡直是天助我也！Michelle 把握機會，順勢道：「這裏比較大，我們不如分頭調查。你就調查光學那邊，我調查鏡子世界那邊。」

　　「好呀，那待會我們在大門這裏集合。」

「好。」

Michelle 成功令我們二人分頭行事後，雖然 Phoebe 逐漸步遠，但仍不時偷偷瞥向她，確保她沒留意自己。對方似乎不虞有詐，Michelle 偷看了好幾次，Phoebe 都只是專心地試玩那些光學實驗，這反而令我和凌博士有點摸不着頭腦。

不過，順利倒是好事，而 Michelle 也慢慢走到目的地附近。果不其然，那發光體真的是笛卡兒四律的小熒幕。

凌博士說：「是『綜合律』。」

我緊接着建議：「計劃看來相當順利，我們快啟動『綜合律』，然後趕回入口。」

Michelle 於是最後一次轉身偷望過去，確認 Phoebe 仍在光學展廳那邊專心研究，就蹲下身子，啟動「綜合律」。

不一會，眼前的熒幕顯示出啟動成功的字句：「『分析律』、『枚舉律』、『綜合律』已啟動。」

「好，我們回去吧。」凌博士滿意地說，而 Michelle 已站起來，打算轉身回去。

不過，好景不常，就在 Michelle 轉身之際，她卻吃了一驚，嚇得整個人彈跳起來。

因為 Phoebe 竟然已站在她的身後！

4

「嘩！」Michelle 吃了一驚地說：「我們不是分頭行動、你在光學實驗那邊嗎？」

Phoebe 至此仍一臉無辜地說：「我從遠處看不清楚，以為你倒在地上，擔心你的安危而趕了過來。」

<br>

# 第十二章

細小的衛星

「多謝關心，我沒事。」Michelle 果然善於應對特殊狀況，她保持冷靜地回答，做得非常之對，因為剛才她蹲下前看到 Phoebe 仍在那邊，「照理」Phoebe 即使立刻跑過來，也應該只是剛趕到，或許未看到我們身後的小熒幕。

不過……真正「照理」的話，她不會跑得這麼快，也不可能一點聲音也沒有……

Michelle 內心戰戰兢兢地望着 Phoebe，期望能順利避過一劫。可是，我們的美夢落空，她問：「那個『綜合律已啟動』，是什麼意思呢？」

「哈哈！」Michelle 起初以笑掩飾，但想到既然 Phoebe 已看到內容，就改以謊話應對：「我不知道，我也是剛巧看到，才研究一下。」

「那我們一起研究吧！」Phoebe 這時蹲下去細心端詳那小熒幕。

站在她身後的 Michelle，這時把握時間問我們：「現在怎辦？」

「既然『綜合律』已經啟動，相信這裝置已沒有用途，即使被破壞也未必有影響。」凌博士建議：「我們不如找機會逃走，並聯絡高健，再想辦法對付她。畢竟我們不知道她的實力，對打起來柳芬也未必有優勢。」

我們沒有異議，於是改為以身手最好的柳芬偷偷溜走。他背着專心研究這裝置的 Phoebe，不動聲色地慢慢遠離，朝展廳門口走去。

一路上，柳芬多次回望，看到的仍是 Phoebe 專心一意地把玩着小熒幕。因應上一次 Phoebe 突然出現在 Michelle 背後的經歷，我亦有留意 Phoebe 的動作，證明那不是假人或影像。

　　可是，不知何故，我們還是失敗了。當我們推開大門之際，卻發現 Phoebe 已站在展廳外恭候我們。

　　「你們想去哪裏呢？」她微笑着問，然而她笑容中藏着的陰險，我輕易看得出來，而單純的柳芬亦被嚇得亂叫：「鬼呀！」

　　「真沒禮貌！」Phoebe 似乎已無意偽裝下去，她撐着腰，一臉不快而囂張地說：「想丟低我還叫我做鬼？你以為能逃出我的魔掌嗎？」

　　凌博士自知事敗，索性接管了身體跟她對質：「你不是鬼，你是狐狸精，因為你終於露出你的狐狸尾巴了！」

　　Phoebe 聽出了玄機，不屑地說：「嘖！你一早知道？」

　　「對。剛才你問什麼是『綜合律』，我就解釋給你聽。『綜合律』是從認識單純的對象逐漸進化到複雜的對象。我們知道第六國度的成員名字，都是土星的衛星，而你的名字 Phoebe 雖然是很普遍的女性名字，但同時亦是土星的衛星之一『土衛九』。那不是大衛星，所以你不是核心成員，但也是第六國度的人，這一點，我早就猜到了。」凌博士解釋：「而且，你其實一早就不小心犯下了明顯錯誤，令我百分之百肯定你就是第六國度的成員。」

　　Phoebe 狐疑地反問：「不可能！我犯下了什麼錯？」

　　「當日你中了 Titan 的『語言力場』而窒息，高健把你救走到安全地點時，遇上了 Dione。他為了避免你困於『遊戲會場』，把你推出領域外。我猜按照你們原本的計劃，你也應該被 Dione 困住，然後在遊戲中途裏應外合，讓高健放棄而永遠被困。不過，你們的計劃失敗了，你一時情急，直呼了高健的名字，正是最大的錯誤，因為在那之前，你根本未見過他，你又怎會知道他是誰？只因你是第六國度的人，才會對我們 S 機關的成員瞭如指掌！」

# 第十二章

細小的衛星

「那單車也早就知道?」

「不。不幸地,單車似乎沒閱讀過土星衛星的英文列表,沒察覺到這點。我曾經希望我推理出錯,又或者你會改邪歸正,不過這份希望最終也化成失望。」

「哼!」Phoebe 噘一噘嘴後道:「既然你們什麼都知道,那我也無須再偷偷摸摸了。我今次來,正是要阻止你們改變歷史。」

「你全都知道了?」凌博士驚訝地反問,但同時收起了重要的詞彙,以確認對方是否真的知道。

「你們真笨!你以為我上次來科學館接觸單車是為了什麼?就是為了把 GPS 及偷聽裝置放到他的身上。我故意放走他,並殺害你們的其中一員,就是希望你們盡快會合,商討接下來的計劃,我們就能作相應對策,所以你不用再故意隱藏『笛卡兒四律』、『金教授』、『地下室』等字眼了。」

「那……」凌博士得知對方有意阻撓,緊張得不知所措:「你現在要怎樣?要殺了我嗎?」

「放心,我是不會殺你的,因為你是 Cronus 大人最重要的『道具』呢!」

雖然我們不明白這句話的意思,但對方顯然不懷好意。當然,我們也不會束手就擒,柳芬這時接過身體,打算逃回展廳內,再看看有沒其他逃生之路。

不過,他才跑了數步,身子就突然急停下來,一陣觸電的麻痺感覺貫徹全身。

到底發生了什麼事?

「原來……Phoebe 的能力是『疾風迅雷』……」凌博士說出答案後,我們就失去了知覺……

# 第十三章　通往真理之路

（本章以單車的視點進行）

# 第十三章

通往真理之路

1

我和高健剛逃出生天，並成功打開通往地下室之門，以為一切順利之時，卻收到 Shirley 的訊息：「快逃！不要來地下室！」

我不禁心跳加速，而且不知所措。Shirley 顯然是遇到什麼麻煩，才叫我們不要去，但那邊到底發生了什麼事？為什麼叫我們不要過去？如果我們不過去，又怎樣找到金教授？迅子又要如何到手？

不過，就在我仍一籌莫展之際，高健卻突然提出驚人建議。他非常爽快而乾脆地說：「走吧！去地下室救 Shirley。」

「誒？」我不明白他為何這麼快就能得出結論，吃了一驚。

沒料到高健看到我反應後，又突然改口風說：「那我們二人獨自逃走，丟低她算了。」

這建議反差之大，狠狠地刺激到我的情緒。我激動地回應：「不行！怎能見死不救呢？」

「就是嘛！」高健這時才微笑着解釋：「無論 Shirley 遇到了什麼事，即使明知有危險，我們都不可能丟低她不顧，那我們除了立刻出發，還有什麼選擇呢？」

他說得對，我點點頭表示認同。高健話鋒一轉，改為教訓我道：「你總是這個樣子，身邊重要的人出了事，就會突然變笨，不知所措，這樣可不行呢！」說罷，他竟用力敲了我的頭殼一下。

「呀！很痛！」我大呼：「你瘋了嗎？平日也不會這麼用力......」

「就當是你早前懷疑我的懲罰，這就不拖不欠，之前的事你也不要記在心上。接下來，很可能是我們與第六國度的最後戰鬥，計劃順利，一切問題都會迎刃而解。」

「但……」我仍有點猶豫，尤其想起他哥哥的犧牲。

「不就說了不要記在心上了嗎？不聽話的話，就要再來一記『扑傻瓜』了！」

「不要！」想起剛才的痛楚，我驚呼來阻止他，而我們二人亦傻笑起來。

剛才的愁緒總算暫時一掃而空，能集中精神面對眼前的問題。說起來，高健總是有辦法助我收拾心情，這種朋友，真是難能可貴呢！

2

我們繼續沿着扶手電梯往下走。我回復理智後，一路上思考着到底 Shirley 會遇到什麼麻煩。

我在想，第六國度的核心成員共有七人，Mimas 及 Enceladus 在早前已被殺，Titan 在科大敗於高健之手，Dione 被困在自己領域內，Tethys 及 Iapetus 剛葬身於王水之中，剩下的就只有 Rhea。不過，小勳跟 Shirley 同行，如果他們遇上 Rhea，照理小勳能夠應付。那就再沒有人威脅到 Shirley 了吧？

不，還有首領 Cronus！

說起來，雖然 Cronus 的前身 Secretary 是 S 機關的人，但有關她的特殊能力報告卻找不到，顯然她早就有預謀作反。正因如此，她現在到底擁有什麼能力，我們都沒有頭緒。莫非 Shirley 真的遇上了她，而凌博士認為她的能力之強，是我們無法應付得來，所以才叫我們逃走？

\\\\\\\\\\\\\\\\\\\\\\\\\\\\

# 第十三章

通往真理之路

　　不過，即使如此，我和高健也絕不會逃走。一方面，基地被毀，我們已沒退路；另一方面，我們亦不能棄 Shirley 及凌博士於不顧，所以我們也得正面迎戰。

　　我下定決心前進，不一會，終於走到科學館的地下。我們二話不說，立刻朝目的地所在的生物多樣性展廳進發。

　　我上一次來生物多樣性展廳時，房內漆黑一片，但這次到來就不一樣，我看到眾多亮着而簇新的展品，地下室之門又開啟了，我彷彿立刻感受到生機蓬勃的欣喜，也對之後將要發生的事充滿希望。

　　眼見至今一切正常，我和高健交換了一個微笑，天真地以為 Shirley 只是作弄我們，根本沒有什麼麻煩。可惜，Shirley 並沒有跟我們開玩笑，我們高興了不到十數秒，就明白事態嚴重。

　　有三個人，正從地下室走出來！

　　他們背着光，所以我和高健花了點時間適應，才看到她們分別是 Cronus、Phoebe 及 Shirley。

　　第六國度的首領 Cronus 站在最左邊。她跟其他成員大致相似，身穿一身黑色長袍，最大的分別，是在長袍的領口、袖口、袍擺等位置，均配有金色蕾絲花邊。另外，她的頭上亦戴有大禮帽。我清楚認得那頂帽原屬於我的父親，Cronus 在他死後據為己有，她這時還故意戴着，顯然是有心刺激我們。

　　在 Cronus 右邊的是 Phoebe，而 Shirley 則再在她的跟前。為什麼 Phoebe 跟 Shirley 會一前一後？因為 Phoebe 是推着 Shirley 出來——Shirley 昏迷了，並被大量的布帶固定在輪椅上。

　　這一幕令我吃了一驚，不單是因為 Shirley 不省人事，還有 Phoebe 原來是第六國度的人。因着這個畫面，我和 Phoebe 過往的經歷一一在腦海中重播：我們在古代神話課中相識、一同做小組報告、一起研究課題，到她在科大演講廳內窒息，以及上次在科學館內遇上她。咦？想起來，她當時有一個怪異的動作，好像把什麼放進了我的外套口袋中……

　　「呀！是她把追蹤器放在我的身上，第六國度才會找到我們的基地！哇呀！」憶起 Phoebe 由始至終都是有目的地接近我，同時因為我的疏忽，才導致基地內的手足傷亡慘重，我不禁蹲到地上抱頭大叫。

　　「單車，你冷靜點！」高健也蹲下來安慰我道：「不是你的錯，你只不過是被她利用了！」

　　「是啊！」Phoebe 露出狐狸尾巴，展現着鬼魅般的陰險笑容說：「是我利用了你，誰叫你這麼單純，輕易地相信陌生人啊！你讀幼稚園時，爸爸媽媽沒教你嗎？」

　　她是知道我的父母在我年幼時沒照顧我，才故意這樣說，高健心有不忿地代我反擊：「夠了！你這個賤女人，欺騙了他的感情，還有臉來見我們？」

　　「好笑了，我為什麼沒面目來見你們？」她翹起雙臂，目中無人般說：「我現在是第六國度的大功臣，榮升 Cronus 大人的左右手，這份榮耀，真要多得單車同學，我是來感謝他啊！」

　　「你！」高健氣憤得說不出話來。

　　「你什麼！你們的凌博士在我們手上，識趣的就乖乖求饒。這樣吧，你們二人跪低，好好地給我們舔乾淨鞋面鞋底，我們滿意的話，或許會放你們一馬，啊哈哈！」

# 第十三章

通往真理之路

　　高健握緊雙拳，卻不知如何是好，畢竟她說得沒錯，Shirley 正被脅持着。不過，就在這時，我留意到 Shirley 好像開始清醒過來，而我也不能一直消沉下去，於是重新站起來大呼：「Shirley！」

　　因着這聲叫喊，Shirley 睜開眼，看到自己身處的狀況後，疑惑地問：「咦？你們怎麼會在此？到底發生了什麼事？」

　　奇怪了，她不是應該知道自己身陷險境，才通知我們不要來嗎？為什麼她醒來後卻一臉茫然。我不解地皺了一下眉，Phoebe 見狀才說出她的詭計：「凌博士，是我代你發訊息給他們，叫他們不要來地下室，結果他們一點也不聽話，竟立刻趕過來了。」

　　真相終於大白，看來 Shirley 一直昏迷，是 Phoebe 故意把我們引來這裏。然而這就更不可思議，她們沒殺害 Shirley，又把我們引誘過來，不就有機會給我們救回 Shirley 嗎？她們為什麼要這樣做呢？此刻的資料有限，我當然不可能想到答案，疑團不減反增。

　　在另一邊廂的 Shirley，她聽到「地下室」這重要的詞彙，身體立刻改為由媽媽接管。她激動地大喝：「Cronus！你已幾乎把整個 S 機關連根拔起，到底還想怎樣？」

　　一直在旁默不作聲的 Cronus，終於開口回應：「我只不過是繼續單博士未完的潛能覺醒計劃而已。」她聲調平淡，跟過往總是趾高氣昂、狀甚囂張的 Cronus 截然不同。

　　媽媽當然不會就此罷休，尤其是 Cronus 扭曲了潛能覺醒計劃的原意，她反駁道：「你亂說！潛能覺醒計劃根本不是這樣！」

　　Cronus 望着媽媽，一臉冷酷地回應：「S 機關的潛能覺醒計劃當然不是這樣，這是經第六國度改良的真．潛能覺醒

計劃，所以我們才會舉辦真・願望遊戲來招收成員。原計劃負責人，我們想得很周到吧？」

媽媽雙目微微濕潤起來，比之前更加激動地怒吼：「潛能覺醒計劃是救人，不是殺人，你亂說！」我明白，她一定是想起自己的丈夫正是被這人所殺，他生前的計劃又被騎劫，所以在憤怒之中混雜了悲痛。

「你錯了！我們的計劃也是救人，也是為了防止人類滅亡。」

Cronus 這個回應，令媽媽更不能自已，幾乎失去理智地掙扎，重複地大喊：「你胡說！你胡說！你胡說！」

「反正他們都命不久矣，」Phoebe 這時插嘴道：「Cronus 大人，不如讓他們死得眼閉，告訴他們第六國度的鴻圖大計吧？」

Cronus 木無表情地望向 Phoebe，呼了一口氣才道：「也好！」

然後，她蹲到媽媽的耳邊說：「就當作報答你們當日提攜之恩，在你們臨死前，讓我告訴你們真・潛能覺醒計劃的真義——這是一場所有人對抗所有人的戰爭！」

3

媽媽剛才過於激動，幾乎用盡了所有氣力怒吼，這時已沒精打采地側着頭呆坐。我於是代她追問：「這是霍布斯的哲學理論？」

換着是以往的 Cronus，她一定會假惺惺地讚我聰明，然而這次她仍保持平靜，淡淡然地回應：「對。」

她只說了一個單字，就沒再說下去，我起初以為她只是虛應。不過，數秒過後，Phoebe 就開口代她解釋：「當

# 第十三章

通往真理之路

日楊鈃透過『平行宇宙記憶』，間接預知世界將會在 50 年後因人為環境污染滅亡，單博士及凌博士於是設計出潛能覺醒計劃，希望讓人類進化而逃過一劫。可惜單博士最終為了一己私欲，放棄了 S 機關上上下下辛苦多年的計劃，於是 Cronus 大人就肩負起拯救地球的責任，繼續未完的計劃。這一點，你們應該清楚不過。」

面對這樣扭曲事實，媽媽顯得很憤怒，卻沒有直斥其非，想必是希望聆聽她們的歪理，我亦無謂多言。

「不過，Cronus 大人深明人類劣根性之重，是無可救藥。說穿了，人類只不過是以心臟為動力來源的自動機械，為了生存及利益，甘願無所不用其極，跟所有非我族類者對抗，所以世界就成了『所有人對抗所有人的戰爭』。這種利己動物，即使成功進化而避過滅亡一劫，他們終歸會再次令世界滅亡。既然人類這麼喜歡互鬥，Cronus 大人就將計就計，成全他們，實行這個先死而後生的真·潛能覺醒計劃。」

Phoebe 整理了一下秀髮，放下翹在胸前的雙臂，續說：「真·潛能覺醒計劃的目的，是把覺醒特殊能力的形態形成場『發揚光大』，令全世界人類在無條件下解放能力。當人類自以為擁有強大的力量時，就會四出搶奪他們自以為配得上擁有的東西，同時因為一直受到既得利益者的壓榨，將起來反抗，形成真正的『所有人對抗所有人的戰爭』。」

「你們瘋了！」高健聽到這裏，忍不住駁斥：「你知道這樣會令人類自相殘殺，造成大量死亡嗎？」

「知。」Cronus 再一次只說了一個單字。Phoebe 接着如上次一樣，繼續說明：「我們當然知道，因為這就是我們的目的——讓人類互鬥，甚至發動大規模的戰爭，從而大量減少地球的人口，並推翻既有的權力架構。當文明及社會組織消退、人類的數目劇減後，剩餘的少數人類就無法維持以往高度文明的舒適生活，人們將退化到原始時代。他們為

了生存，被迫與大自然對抗，再沒有餘暇互相爭奪，人類才會重新團結起來。而且，當人們回到農業社會時代，以最原始的生活方式求生時，污染的問題亦能杜絕，不單能避免人類滅亡，其他物種亦得以生息及延續下去。哈！我們在生物多樣性展廳說這大道理，實在最適合不過。」

「你們真是瘋了！」凌博士也終於按捺不住說：「這聽起來很理想，但沒有人知道這場人類互鬥會演變成什麼規模，萬一變成第三次世界大戰，各國使用核武互相攻擊，核污染不單殺光人類，大部分物種也無法生存下去，又怎能達到你們的目的？」

Phoebe 來回推着 Shirley 的輪椅，氣定神閒地回應：「萬一這樣，那就只能說人類活該如此了。不過，你放心，總有一些微生物能夠在核污染下繼續生存，經歷數十億年的進化後，地球就會復活過來。」

「這樣說的話，你的目的已經達成了！」我這時找到逃生缺口，加入道：「我們 S 機關現在只剩下數人，已沒有能力阻止你們的計劃。你們還抓起 Shirley 來做什麼？不如放過我們，讓我們安度餘生吧！」我這樣說，只是一心想救走Shirley，所以當然不會提及我們尚可利用迅子改變過去的方法，而我亦忘記了她們藉偷聽器，應該早已知道我們來科學館的計劃。

不過，我的如意算盤打不響之餘，她們抓起 Shirley 竟然另有目的。Phoebe 左右揮動食指說：「No No No！你的話只是部分正確。你們雖然已沒能力阻止我們，但我們仍未能保證計劃順利。要知道，在原始社會，力量就是一切。這種力量，跟現代社會不同，不是金錢、學識、權力，是真真正正的戰鬥力。為了確保 Cronus 大人能夠成為新世界中的領袖，她就要獲得全世界最強的特殊能力。接下來，我們將舉行重要的儀式，而祭品就是 Shirley！」

# 第十三章

通往真理之路

我吃了一驚，正想開口追問之際，Phoebe 遞起手掌，示意我不用說下去。她道：「放心，Shirley 及凌博士應該不會有事，不過 Michelle 和柳芬就......」

因着這句話，我已多少猜到她們所謂的儀式，正跟 Shirley 的能力有關。雖然 Michelle 及柳芬只是人格，但我也不能見死不救。我留意到她們手上似乎沒有武器，於是向高健打了個眼色，在那一瞬間，我們二人同時衝向 Cronus 及 Phoebe，希望殺她們一個措手不及。我當然明白我毫無戰鬥力可言，但如果我能拖延或分散對方的注意力，高健就有機會救出 Shirley。

沒料到，Cronus 看到我們突如其來的進攻，並未有顯露半分緊張，她依然冷若冰霜地吐出一個字：「Phoebe。」

「嘿！」Phoebe 冷哼一聲回應過後，突然間，她以迅雷不及掩耳的速度衝向高健，並向高健的腹部打出一記重拳。高健還來不及反應，就被重重擊中，他雙手掩腹倒地，在地上痛苦地抽搐，好像觸電一樣。

我沒有放棄，仍打算向前跑，但幾乎在同一時間，我已被她從後環抱着上半身，動彈不得。在我的耳邊，這時亦傳來冤魂般的耳語：「放心，你對我這麼好，我是不會傷害你。」話音剛落，我的後頸就感到一陣涼意，但這並非心寒的寒意，而是來自舌頭輕舔的濕潤。

因着 Phoebe 近乎變態的行為，我不禁雙膊一縮，並發出短促的驚叫：「啊！」

她其實只旨在唬嚇我，因為我根本沒有戰鬥力。既然目的達成，她於是鬆開了環抱我的雙手，並向我的屁股用力一拍。我被嚇得失魂落魄，跌坐到地上，並為倒地的高健感到痛心。

「Cronus 大人，」Phoebe 看到我們二人已無力還擊，興奮地說：「障礙已經消除，你可以安心進行儀式了。」

「好。」Cronus 簡短地回應過後，就走到 Shirley 的輪椅之後，伸出雙手，搭在 Shirley 的頭顱上。Shirley 明白情況險峻，已用盡全身的力量扭動身子，可惜她整個人都被布帶綁住，不要說是掙脫，只是要移動半分也不可能。她只好開口勸我和高健離開：「你們鬥不過 Phoebe 的『疾風迅雷』，快逃！」

不過，我們並沒有逃跑，實際上，以 Phoebe 現在的速度來說，即使我們想逃，也自知無能為力。我只能無力地哀求，希望她們回心轉意：「求求你們停手……」

然而卑鄙的 Cronus 並沒有就此罷休，她閉上眼睛，口中唸唸有詞，就像施展咒語一樣。不一會，Shirley 的面容扭曲起來，失控地大叫：「呀！」然後又突然悲慟不已地大呼：「柳芬！你不能消失啊！柳芬！呀！」

什麼！柳芬消失了？我仍在納罕之際，Phoebe 又緊接着道：「接下來應該是 Michelle 了。」

我雖然無能為力，卻沒有停止思考。因着這句話，我明白我早前的推斷沒錯，儘管原因未明，但 Cronus 的儀式將間接令 Shirley 製造出來的人格逐一消失，所以接下來的受害者就是 Michelle。

雖然 Michelle 曾欺騙過我，我對她亦沒有好感，但她畢竟代替 Shirley 生活多年，而且已改邪歸正，近日 Shirley 及凌博士也不時替她說好話，我實在不願意看到她「被殺」。

可是，我沒有任何能力阻止 Cronus。高健雖然已勉強重新站起來，但我們根本敵不過 Phoebe 的速度，再衝上去只會白吃苦頭。

# 第十三章

通往真理之路

不過，就在這個時候，一道人影突然在我的面前掠過，並朝 Cronus 的方向猛衝過去！

4

我高興了半秒，注意力亦立即集中在那人影身上，期望能成功制止 Cronus。然而 Phoebe 也不是省油的燈，她一個閃身走到 Cronus 的身旁，把「人影」的攻擊輕易卸開。

第一下攻擊未能奏效，「人影」順勢繞到另一邊，再次疾衝過去，但 Phoebe 再一次保護 Cronus，這次她雙手一推，把「人影」撥到遠處。

「人影」無功而還，終於停了下來。這時我才能看清，她原來是一名滿頭銀髮、手抱着男孩的老婆婆。

老婆婆看來雖然尚算壯健（能抱着小孩極速奔跑其實也不只是普通的壯健……），但皮膚鬆弛，皺紋滿臉，看來已年過 70。至於男孩，他的手腳短小，只能作基本的活動，應該只有兩歲。

我望着他們二人想了好一會，對他們到底是何方神聖毫無頭緒，也不明白他們為何會突然出手相助。直到婆婆把男孩放到地上，我看到男孩手上緊握着我們 S 機關的求生小刀，我才赫然想到，他們就是大芬及小勳！

從二人的情況看來，他們必定是使用了能力互相角力，造成大芬急速衰老、小勳變回幼童。中間實際發生了什麼，我並不知道，但他們二人趕來對付 Cronus，我們就有救了。畢竟要對付能力者，始終需要可以匹敵的能力者。

大芬現在空出兩臂，從小勳手上接過小刀，再一次使出「時間膨脹」，持刀衝向 Cronus。Phoebe 亦不敢怠慢，從 Shirley 身上拿走求生小刀，並立刻使出「疾風迅雷」應對。兩人在 Cronus 附近一攻一守，小刀互相碰撞之聲此起彼落。

我的眼睛實在跟不上她們的速度，但二人的戰鬥持續了好一會，證明實力不相伯仲。

不過，戰鬥並未有維持太久，就因為 Shirley 呼天搶地的聲音而終止了：「Michelle！Michelle！」

原來在她們戰鬥過程中，Cronus 沒有放慢手腳，儀式已告一段落。在那聲叫喊過後，Shirley 悲痛地哭了起來，而 Cronus 亦收起了一直放在 Shirley 頭顱上的手。完了，Michelle 也消失了……

「可惡，我們還是來遲了一步。」大芬奮戰一輪後依然無功而還，退到一旁不忿地說。她的聲音比起過往我聽過的，顯然因衰老已變得低沉很多。

在一瞬間，又有兩個「生命」猝然離開我們，傷痛的不單是 Shirley，我也為她們的無辜犧牲而悲哀。我大吼：「你們為什麼要這麼狠心，無故消滅兩個人格？」

Phoebe 不屑地回應：「哼！你真是無知，Cronus 大人才不會無緣無故浪費時間。」

在她身旁的 Cronus，這時似乎覺得 Shirley 已沒有利用價值，突然把 Shirley 連人帶輪椅用力一推，推了過來我和高健身邊，並叫喊了一聲：「Phoebe。」

我和高健接過輪椅，立刻為 Shirley 解開布帶，而 Phoebe 誤會了 Cronus 的意思，繼續興奮地說：「Cronus 大人是為了使用『能力吸收』，吸收 Shirley 的『人格生成』，才要抓起她。不過，這能力的使用限制很奇怪，只能使用三次，而且要有另外三人在場，有三三不盡之意，所以我們才引你們過來。」

「Phoebe。」Cronus 不悅地再次叫喊 Phoebe。

我瞥了 Cronus 一眼，察覺到她的臉色有異，Phoebe 卻未有為意，繼續肆無忌憚地吐出 Cronus 的目的：「現在計劃總算初步完成了。Cronus 大人吸收了 Shirley 的能力，所以 Shirley 製造出來的所有人格都被消滅。取而代之，Cronus 大人之後就會製造出大芬及小勳的人格，配合從 Vincent 身上吸收的『界限突破』，她就能夠在沒有副作用之下完全操控時間，成為最強的能力者及新世界之王。」

原來 Vincent 的死也是她們計劃的一部分，我竟然未能預先察覺。Phoebe 應該是借汽車起火爆炸的混亂場面，把 Vincent 暗地裏帶走並讓 Cronus 吸收能力，然後再在我們的成員趕到前放回車內，所以 Vincent 的屍體未有完全燒毀。然而這樣說來，Cronus 吸收了 Vincent 的「界限突破」，可以令領域內的人無視能力的使用限制，那麼她應該能把 Dione 救出來，她卻沒有這樣做，Dione 顯然已被當成棄子……

「Cronus 大人，」Phoebe 仍雀躍地一口氣說着：「那你現在可以集中精神使用『人格生成』的能力。我知道這需要一點時間，在你完成之前，我會在此保護你的，你放心……呀！」冷不防間，Phoebe 突然痛苦地尖叫起來。

我和高健剛好完全解開 Shirley 身上的布帶，抬頭一望之際，赫然發現 Cronus 雙手壓着 Phoebe 的頭顱，情況跟剛才吸收 Shirley 的能力時一樣！

Phoebe 無力反抗，狀甚痛苦地低吟：「為……為什麼……」

一直惜字如金的 Cronus，似乎終於按捺不住，板起臉來高聲斥責：「你這個臭丫頭，總是這麼多說話，我有叫你把一切都告訴他們嗎？」

「你……不是答應……鴻圖大計……」Phoebe 正被 Cronus 吸收能力而痛苦萬分，卻心有不甘想追問原因，吞吞吐吐地說出不完整的句子。

Cronus 猜到她的問題，回應道：「我是答應了你可以說，但只是有關真‧潛能覺醒計劃的真正意義，並沒有說過你可以把我的能力及目的都一一告訴他們！我給予第六國度成員個人自由，是因為不想重複 S 機關的專橫，但不代表你可以肆無忌憚地濫用！」

不一會，「能力吸收」完成，Cronus 毫無慈悲之心，冷哼一聲，就把已沒有用途的 Phoebe 一掌推到遠處。

如果要我形容，我會認為把眼前的 Cronus 說是暴君也不為過。Dione 也好，Phoebe 也好，被她利用過後，就被棄於一角，自生自滅，實在太殘忍了。

Cronus 這時回望我們，冷冷地說：「算了！雖然浪費了第三次使用『能力吸收』的機會，但擁有『疾風迅雷』，我就不怕你們這群廢物，足夠收拾你們有餘。」她說罷拾起 Phoebe 掉落的小刀，指著我、高健及 Shirley 三人道：「本來我不打算對付你們，但你們知道得太多，不要怪我！」

大芬不讓她得逞，站到我們前面說：「別妄想傷害任何人！」

「Rhea！」Cronus 以低沉的聲音喝道：「我苦心栽培你，你為什麼要重投 S 機關？」

「哼！我不是重投 S 機關，我只是為了保護小勳而已。」

因著這回答，我終於大致明白到底發生了什麼事。大芬及小勳本來應該正在互鬥，但大芬眼見小勳變回年輕的速度很快，知道小勳將會比自己先死，最終因潛藏在內心的姐弟情而收手，反而因此化解了二人互鬥而亡的結局。

# 第十三章

## 通往真理之路

　　儘管大芬現在站在我們這邊，此刻我仍擔憂不已，因為 Cronus 已順利吸收了三人的能力。雖然現在 Cronus 未有閒暇進行「人格生成」，但單是「疾風迅雷」，我們也只有大芬能跟她抗衡。問題是，大芬已老態龍鍾，到底她還能支撐多久，我實在不敢想像。

　　二人呈對峙狀不久，Cronus 突然怒喝一聲，搶先展開攻勢，向我們衝過來，大芬亦立刻上前應對。可是，跟之前與 Phoebe 對決時的情況不一樣，大芬竟敵不過 Cronus，不一會就敗陣下來，側腹更中了一刀。雖然似乎沒有傷及內臟，但傷口頗深，血液迅速染紅了她的衣服。

　　「真是歲月不饒人啊！」Cronus 把中刀的大芬踢開，諷刺她說：「你年紀大了，竟然連高階能力『時間膨脹』也敵不過我的基礎能力『疾風迅雷』。而且，你忘記了我在 S 機關時，是專門修練小刀的吧？」

　　「姐！」小勳驚慌地尖叫，並跑過去看大芬的傷勢，卻在途中跌了一跤。我現在才驚覺小勳過於年輕，已影響他的語言能力及動作，只能以單字說話，行動亦欠靈活。

　　Cronus 把障礙消除了，殺意重新指向我們，高健也只好拔出救生小刀應對，但我們各人都明白，高健是敵不過 Cronus 的⋯⋯

　　5

　　現在我們的情況可謂惡劣至極，就如等待被宰殺的羔羊一樣，毫無還擊之力。

　　不過，不知道是否幻覺，還是我的眼睛出了問題，這時我望着高健的背影時，竟看到他的身體好像間中閃出不尋常的黑色光點。為了確認這點，我疑惑地輕聲問身邊人：「Shirley，你看到那些黑色光點嗎？」

　　話音剛落，我就察覺到自己的話有問題，因為黑色光點是不科學的⋯⋯咦？但想起來，我覺醒「永久記憶」時，也曾在意識界內看過黑色的光，莫非⋯⋯

　　不過，Shirley 並沒有就我的提問回應，我於是轉過頭來望向她，只見她若有所思地盯着高健，似乎仍在思考這道問題。

　　當然，敵人並不會等待我們想到答案才攻擊，Cronus 這時已舉起小刀，準備追擊我們三人。

　　大芬見狀大呼：「不行，這樣你們會死！」她顯然明白情況已刻不容緩，可是她又身受重傷無力協助。只見小勳這時跟她說了一句話，她就如靈機一觸，突然揮動雙手，然後雙掌向前一推，彷彿發動氣功一樣，將不知名東西發射到高健身上。

　　那一瞬間過後，Cronus 已使用「疾風迅雷」向我們衝過來，但同一時間，高健竟然也以高速跟她正面交鋒。看到高健的速度，我才終於明白大芬的動作，原來她是把原本只對自己有效的「時間膨脹」，轉化成領域系能力，並放射出來供高健使用！大芬實在太強了，她竟對自己的能力如此操控自如。

　　可是，我只高興了不一會，就想起大芬的能力現時已不足以跟 Cronus 抗衡，那高健不就會步大芬的後塵嗎？

　　計劃原來還未結束。小勳以有限的字詞大喝：「高健！靠你！」接下來，他也跟大芬一樣使出相同的動作，但目標卻是 Cronus——他把「時間散失」射向 Cronus，以減慢她的速度。我不期然瞪大雙目，心中發出一陣狂喜，因為當刻我以為一定會成功。

Cronus 的速度被抵消，高健卻有加速優勢，他於是反客為主，舉起小刀衝進 Cronus 的懷中，準備把小刀刺向她的心臟。Cronus 馬上閃身回避，但速度顯然及不上高健，小刀快速迫近，即將要刺穿她的心臟了！

這次的行動計劃周詳，兩姐弟又以命相搏，滿以為成功在望之際，幸運女神卻站在 Cronus 那邊。就在小刀貼到 Cronus 胸口的一瞬間，她的閃避動作突然加快，小刀最終只插進她的腋下，未有造成致命損傷。

在同一時間，Cronus 無視傷勢，想把她手上的小刀從後插向高健背部。高健失手後已打算動身離開 Cronus 的懷中，可是他的動作卻倒過來變得非常緩慢，完全無法閃開，即時身中一刀。

「高健！」我緊張他的傷勢而大叫起來，而當我回頭望向兩姐弟的位置時，我終於明白原因——大芬已一臉栽到地面，原本小勳的位置更只剩下一灘血水。他們二人用盡了自己的壽命，卻依然無法收拾 Cronus……

高健還未來得及慘叫，Cronus 的動作之快，已把小刀拔出，並再次連續插向高健的背部。身負多下刀傷，大量血液從他的背部如泉湧出，而伴隨着血液，剛才我看到黑色光點亦暴增起來，就像從高健的毛孔滲出來一樣多。

「呀！」冷不防間，媽媽的聲音突然傳來，她終於想通那黑色光點是什麼，高聲驚呼：「那是反物質！原來高健的能力是『反物質體格』！」

反物質！我一聽到這個詞彙，立刻心感不妙。反物質（Anti-matter）是粒子物理學中，反粒子概念的延伸。在正常情況下，反物質無法在自然環境中找到，因為當反物質遇上正常物質時，就會相互吸引及碰撞，並轉化為光及釋出

能量，這個過程稱為湮滅。我們看到的黑色光點，就是高健的身體正與周圍的空氣發生湮滅，換句話說，高健的身體正在與他接觸到的物質一同消失！

「所以高健一直未有覺醒能力，因為此能力只能使用一次，而且……一旦覺醒了……」媽媽本想繼續解釋，但她已說不下去。

Cronus 並未有停止傷害高健的動作，然而高健看來並不痛苦，反而滿足地微笑起來，並以 Cronus 背叛 S 機關前的舊名字對她說：「Secretary，你殺死我不要緊，但我是絕對不會讓你傷害單車！我們一起下地獄吧！」說罷，高健雙手緊抱 Cronus，黑色光點亦愈來愈多，把他們二人重重包圍。

「放手呀！」Cronus 終於發現情況不妙，放聲喝止高健，然而此時此刻，他們二人的身體我都無法清楚看見了。

「單車，對不起，」在那黑色光點團中傳來高健最後的聲音：「我無法再保護你，不過我們還有救世粒子。目的地就在眼前，我們稍後在新世界再會吧……」

在那之後，黑色光點逐漸消散，高健及 Cronus 完全湮滅了，除了地上原屬於高健的血漬外，他們二人在這個世上存活過的痕跡，幾乎一點都沒剩下來。

在我過去的十多年來，我一直缺乏父母照顧，就只靠這個好兄弟對我不離不棄，我早已當他是親人一樣。他為了我而煙消雲散，這對我來說簡直是「世界末日」。我呼天搶地放聲大哭，不顧一切地捶着地面，雙手也不知不覺間受傷了。

不過，當時的我尚未知道，真正的「世界末日」卻還在後頭……

# 第十四章　最後一着

（本章以Shirley的視點進行）

# 第十四章

最後一着

1

Michelle 及柳芬消失，大芬老死，小勳變回一堆細胞，高健同學湮滅，還有 Chris、Vincent、Gary 及 S 機關的其他手足傷亡慘重或下落不明。一時間，眾多的生命還未來得及道別，就猝然離世，這個世界彷彿突然只剩下我和單車同學二人。

當然，「只剩下我和單車同學二人」這個念頭本來只是比喻，沒料到不久竟一語成讖⋯⋯

高健同學跟 Cronus 一同湮滅後，單車同學歇斯底里地大呼大哭，我在旁看着也感到悲傷，畢竟那是跟他相處了十多年的好朋友。那種椎心刺骨的心痛，我很明白，因為我也失去了陪伴了我數年的 Michelle⋯⋯

不過，心再痛，現實還是不得不面對。Michelle 不在，凌博士就擔起了這個重任。在這個時候，通訊裝置傳來了 S 機關人造衛星拍到的影像，凌博士赫然發現中國及北韓竟率先發射導彈，攻打其他國家，第三次世界大戰看來已一觸即發。

金教授的地下室之門早已打開，凌博士明白時間無多，她看準了 Cronus 剛湮滅的這個時機，趁 Phoebe 還未回過神來，就強行拉着單車同學走進地下室。凌博士把大門關上，並在門後找到後備物理鎖，把門鎖上，防止 Phoebe 稍後再次阻撓。

我正要鬆了一口氣之際，冷不防間，凌博士竟突然跌坐在大門後，嚇了我一跳。

「你怎樣？」我既緊張，又驚訝地問：「你不是也要消失吧？不要丟低我啊！」我說着之時，幾乎擔心得哭了起來。

「不，只是有點累而已，哈⋯⋯」她沒氣力地回應，連語末安慰的笑聲也不太擠得出來，似乎即使是凌博士，亦因接連發生的巨變而喘不過氣來。

　　無論如何，我們現在總算暫時安全。這個地下室據說防禦力驚人，雖說不是完全無敵，但物理及化學襲擊等也能抵擋上好一段時間，所以即使外面真的打起仗來，我們還有足夠時間去完成剩下的工作。

　　單車同學進入地下室後，仍處於崩潰狀態，似乎需要一段長時間來平復，我也不便在此時騷擾他。我改為留意凌博士，卻發現她眼泛淚光，看來是放鬆下來後，終於有時間思考而感觸良多。

　　她留意到我的反應，索性跟我對談，訴說起她的遺憾：「高健是阿鈃臨死前，交託給我好好照顧的，沒料到，我無法保護他之餘，更讓他白白枉死……」

　　「Auntie，」我以較親切的稱呼來回應凌博士：「他的犧牲並沒有白費，我和單車同學現在總算安全到達地下室，不久就能利用迅子改變歷史，把所有人救回了。」

　　凌博士稍稍側開臉說：「不……事情並沒有你想像中簡單……」她接着轉換話題道：「我只是沒料到，連 Michelle 及柳芬也遭到毒手。」

　　「對了，」我這時突然想到一個重要的問題，追問道：「Cronus 湮滅了，那我的能力會回來嗎？」

　　她搖了搖頭：「即使『能力吸收』的使用者死了，被吸收了的能力亦不會回復過來。不過，能力者倒是可以重新覺醒能力。由於覺醒特殊能力的形態形成場已確立，只要你有心要去重新覺醒的話，照理並不難。」

　　「那我就可以再次用『人格生成』，重製 Michelle 及柳芬了！」我以為找到讓她們「復活」的方法，高興地說。

　　可是，凌博士接下來的答案卻把我再次打回深淵：「理論上是沒錯，但重製出來的，已經不是當日的 Michelle 及柳

芬，他們是全新的人格，無法繼承記憶，充其量你只能在製造他們的藍本中盡量加插經歷，卻無法百分之百還原所有記憶，這樣也沒有意思吧？」

我失望地嘆了一口氣，無奈而傷心地退到一角。

凌博士向我道出殘忍的事實後，心情雖然仍未完全平復，但也勉強重新站起來，開始着手研究這個地下室，畢竟正經事情要緊。現在對我們來說，這個地下室可說是我們 S 機關，以至全球人類的最後希望了。

可是，俗語有云：「希望愈大，失望愈大。」殘忍的現實竟一浪接一浪地撲向我們。

2

我剛才一直昏迷，並不知道 Cronus 等人在我昏迷期間到底做了什麼——昏迷前我在光學及鏡子世界的展廳，醒來之時已在地下室的大門前，被綑綁在輪椅之上。直到現在凌博士細心研究地下室，我才赫然發現，Cronus 及 Phoebe 在這之前，已經把我們的希望徹底粉碎了。

因為，我看到了金教授的屍體，而捕捉迅子的儀器亦被破壞得體無完膚！

「怎會這樣！」凌博士看到眼前畫面，不禁一反平日冷靜的形象，高聲大呼起來。

她的反應我可以理解，因為金教授死了，迅子的儀器亦被破壞，我們改變過去的計劃不就完全泡湯了嗎？

不過，凌博士並沒有就此放棄，她先把金教授的屍體安置好，然後走到儀器附近仔細研究。她找到了已被撕得支離破碎的說明書及研究報告，細心地把它們重新拼湊及還原。

「還好她們只是用手撕毀，如果是用碎紙機的話，我們就要玩數天拼圖遊戲了。」凌博士這時還故意說笑來緩和一下氣氛。想起來，這就跟高健同學勉勵過我的一句話一樣：情況愈惡劣，愈要保持心境開朗，這樣才有精神去應付面前的難關……

借助「神算術」的能力，一小時過後，文件總算大致回復原狀，凌博士開始一邊專心地讀着，一邊跟儀器比對。她時而點頭，時而搖頭，我看得愈來愈心慌，到底儀器能否修復、我們還能利用迅子改變過去嗎？

然而一小時又過去，凌博士的最終答案卻令人失望：「沒救。單靠這地下室內的物資，不可能修復裝置。」

「唉！怎會這樣？」我嘆了一口氣後，卻發現她的話藏有玄機，於是立刻追問：「你說單靠地下室內的物資不行，即是外出就有機會？」

「嗯。」凌博士回應：「而且因為我不是這方面的專家，有些零件可能要請教其他專業人士才有辦法維修。」

「這就易辦，我們立刻出外找救兵吧！」我高興地說。

不過，凌博士又一次把我打回深淵：「不行，Phoebe 可能還在外邊。雖然 Cronus 已死，但難保她會做出什麼瘋狂行為。」

「這又不行，那又不行，我們到底要怎辦！」我一時焦急，語氣不自覺地重了一點。

凌博士沒有不高興，反而走過來輕撫我的頭髮，慈祥地安慰我說：「我知道你心急，但欲速則不達。我雖然不是迅子的專家，卻很擅長設置通訊裝置，秘密基地的通訊裝置都

# 第十四章

最後一着

是由我從零開始設定。這樣吧，我先在這裏建立跟外界通訊的方法，確認安全後再出去。」

「但這裏不是與世隔絕嗎？」

「這裏的確沒有任何通訊網絡，無線訊號亦無法抵達，但別忘記我是這方面的專家。」凌博士自信地解釋：「我打算把那台控制大門、負責接受『笛卡兒四律』的電腦加以改造，並利用電力輸送網路，嘗試跟組織的任何一個基地連接起來。雖然那些基地都被破壞，但只要有任何殘留設施仍接駁著電網，就有機會跟仍然生存的 S 機關成員聯絡，如果還有的話。」

在正式開工前，凌博士發現單車同學呼天搶地的聲音早就消失了，探頭一看，看到他太累而睡着了。她把外套脫下給單車同學，以免他着涼，然後就着手改裝工作，結果一做又做上了好幾個小時，我也在不知不覺間睡着了。

不過，後來我就後悔了，為什麼我要把珍貴的時間浪費在睡覺上呢？睡眠本來不是壞事，但如果你知道這是你人生中的最後幾個小時，我想你也不會花在睡覺之上吧？當然，這個世界並沒有如果。

我會後悔，是因為當我一覺醒來後，凌博士跟我說了這樣的一句話：「我想，我們出不了去，儀器也不可能修復。」

我們出不了去，儀器自然不可能修復，這點我能理解，但為什麼我們出不了去呢？

我問：「Phoebe 還在外面嗎？」

「Phoebe 應該不在了。」凌博士回答過後，發現這個答案不完整，又補充道：「我說『不在』的意思，是她應該死了。」

「死了？」我吃了一驚，一臉詫異地問。

「不只是她，外邊有很多人都死了。」

我不解地繼續追問：「為什麼呢？很多人的意思即是多少？」

「應該有數十億。」

凌博士過於平靜的回答，配上如此誇張的數字，令我不禁懷疑起來。數十億不就是幾乎全球的人口嗎？太不合理了吧！我皺着眉，尷尬地說：「凌博士……說笑不要太過分呢……」

凌博士無奈地嘆了一口氣，看來她並不是說笑。她明白單憑口述很難令我信服，於是拿出手機。原來在我睡着期間，她已成功跟外界取得聯絡，並下載了最新的衛星影像。

畫面顯示着數個地球，分別是衛星從不同方向拍得的情況。最初我看到中國及北韓發射導彈，這是在我們進入地下室前發生，我早就知道。然而接下來的畫面卻看得我目定口呆，更多的導彈從其他地點發出，然後爆炸不斷，後段更出現了蘑菇雲！這顆漂亮的藍色星球，竟在短時間內烽煙四起。

「是核武！怎會這樣？」我震驚地問。

「第三次世界大戰爆發了，各國以原子彈、氫彈等還擊，地球的表面基本上已不可能有人類生還。除非其他地方也有人躲進了類似這裏，具相當程度堅固、防化學物質及幅射的地下室，否則我們和單車可能是地球上唯一生還的人了……」

我震驚得一時間無法回應。我只不過是睡了一會，外面的人就死清光？那我們要怎樣活下去？

對了！我想起剛才凌博士在看文件時，我也看到一部分，當中提及這裏有維生設施。雖然無法外出，但只要能活下去，凌博士總會想到辦法。

然而，當我提起那維生設施時，凌博士又告訴我絕望的消息：「地下室的主要供電電纜不幸被炸斷了，現在正使用後備電源，我亦因此無法再跟外界溝通。當電力耗盡後，防化學物質及幅射的裝置都會失效，所以……」

雖然她沒把話說完，但我已清楚明白，那就代表我們在電力用盡後也會跟地面上的人們同一命運。而我亦鼓起勇氣發問最後一道問題：「後備電源還可以用多久？」

「不多於兩小時。」凌博士低下頭回應。

3

面對人生的最後兩個小時，如果是你，你會如何度過？

凌博士已放軟手腳，默默望着單車同學的睡姿。她建議我不要叫醒他，說與其要他繼高健同學的死後再面對另一個殘酷的現實，不如讓他在沉睡中安詳離世。我雖然不知道單車同學是否同意這個選擇，而且由母親決定子女的命運其實不見得是一件好事，但我也動了惻忍，不忍心再次看到他呼天搶地痛哭的樣子了。

只是，我到了現在，仍有一些事情無法理解，很想問個明白。你可能會說，人都快要死了，還要知道真相來做什麼？或許我是受單車感染吧，反正現在沒事好做，問清楚真相，總算沒有牽掛。

沒料到，正因為這份好奇心，我卻發現了一條生路，儘管這條生路不是屬於……

「Auntie，」我好奇地問凌博士：「你們為什麼一定要保護單車同學來科學館呢？」

　　她側側頭，不太明白我的問題，我於是整理一下再問：「我的意思是，你要保護他，我很理解，但要避免他受到傷害，總有其他更適合的地方，為什麼要他親自來科學館呢？」

　　「哦，那是因為金教授這台儀器，只能捕捉迅子，而不能生產迅子。」凌博士回應：「我們說過，迅子不是大自然的產物，只能在意識界內找到，所以必須有能夠隨時隨地前往意識界的人配合才能成事。可惜，機器現在已經壞了……」

　　「那我不就是適合的人選嗎？我們現在就在意識界內交談啊！」

　　「你的情況有點奇怪。雖然我們是在意識界，但接觸到迅子的機會極微，因為你的能力跟『時間』沒有太大關係。迅子能穿越時空，單車最終雖然沒有覺醒『平行宇宙記憶』，但他有這方面的潛在能力，所以在他的意識界內找到迅子的機會較高。小勳是後備人選，所以我也派了他過來。」

　　因着凌博士的回覆，我竟發現我們一直遺漏了的重要一着。我看到了一線曙光，雖然只剩下個多小時，但只要成事，我們還有改變過去的可能，再惡劣的環境都能逆轉過來，而那關鍵正是單車同學！

　　一想到我們還有逆轉困境的機會，我高興得大叫出關鍵詞：「平行宇宙記憶！」

　　凌博士果然是聰明人，她想了想，已猜到我的大致想法，雖然不太準確。她說：「你想使用『平行宇宙記憶』？但單車已不可能覺醒該能力了。」

　　「這個單車同學不能，因為他有陰影，但新的單車同學就沒有問題啊！」我如發現新大陸般，興奮地說。

　　「啊！」凌博士也吃了一驚，她沒料到我會有此一着，確認我的想法問：「你的意思是，你要用『人格生成』來製造單車的人格，然後再讓他覺醒『平行宇宙記憶』？」

「對。」我點點頭，然後詳細解釋我的計劃：「我們之前打算利用迅子，跟過去的你或單博士溝通，從而改變歷史，中止潛能覺醒計劃，那麼今日的混亂局面就不會出現。現在計劃雖然失敗了，但我想到如果單車同學能覺醒『平行宇宙記憶』，只要讓他把特殊的記憶種在過去的自己身上，從而向你們作出提示，正好有相似效果。」

凌博士恍然大悟般瞪大眼睛望着我，點點頭表示認同。只是，我覺得以凌博士的智慧，沒理由想到利用迅子，卻想不到依靠「平行宇宙記憶」。我問：「照理你不會想不到這個辦法吧？」

「我有想過讓單車再次覺醒，但成功機會太低了，而且擔心他的精神承受不了。至於由你生成單車人格再覺醒這點，我的確沒有想到，或許我跟你太接近，結果成為了思考的盲點，哈哈！」她尷尬地回應。

「那我們應該把這特殊記憶種在哪呢？」

「我想，單車覺醒『永久記憶』一事，是在『黑色信封』事件的『變種魚蝦蟹』對局中發生，就由此出發吧。讓單車把因潛能覺醒計劃而誘發的眾多可怕結果，跟『變種魚蝦蟹』連結起來。當他在五歲第一次跟爸爸玩『變種魚蝦蟹』時，就會想起一切並告訴我們，這樣計劃應該會終止。」凌博士雀躍地建議，然而說到這裏，她突然臉色一沉，吞吞吐吐地說：「不過……這樣……」

我多少猜到這計劃一定有潛在的問題，也收起了笑容，認真地回應：「即管說吧。」

凌博士吸了一口氣才道：「你和單車是在『黑色信封』事件中認識，如果潛能覺醒計劃在他五歲時就中止了，你和單車就很可能不會是朋友，我和你也不會碰面。這樣沒問題嗎？」

　　我勉強隱藏着內心的悲哀，裝作樂觀地回應：「如果我和單車有緣的話，一定會再次遇上。」

　　「唔……」凌博士沒有正面回應，更借此陰沉的氣氛帶出更大的問題：「而且，有一件事我是一直隱瞞着你們的……」

　　她想說的事，我其實早就知道了，只不過人類總是害怕面對現實，凌博士沒有正面跟任何人說起，我也沒挑起這話題。然而現實終歸是現實，我們也命不久矣，不如在這人生中最後的時間，積極走完最後一段路吧！

　　我的雙目微微濕潤起來，強忍着不安道：「我知道，實情是我們根本不能改變歷史，死去的人也不可能復活吧？」

　　「我果然騙得到所有人，都騙不到住在同一意識界的你……」凌博士無奈地表示肯定：「沒錯。單車常說，這個世界並沒有如果，這時同樣適用。歷史終歸是歷史，我們是無法改變。即使我們利用迅子或『平行宇宙記憶』，能改變的『過去』，都不會是我們的過去，那其實是其他平行宇宙的現在或未來而已。」

　　我補充道：「我明白。如果那是我們的過去，那麼我們在過去的時候，就應該早已接收到該訊息，中止了計劃，但我們沒有，也就代表那是不會發生。霍金提出的時序保護猜想，背後的最大原因正是這個道理——因果律是不能被打破，否則就會產生無數的悖論。」

　　「你明白就好了。」凌博士嘆了一口氣後再說：「我們在做的，只是為了其他平行宇宙的未來，避免他們重蹈我們的覆轍而已。在我們這個世界，人類最終還是要承受自己的惡果。當日阿鈃預言，人類會因環境污染而滅亡，我們於是實行了潛能覺醒計劃，最終卻輾轉引發了第三次世界大戰。其實阿鈃提到的『因環境污染而滅亡』，可能只是簡化了的

說法，實際上很可能跟現在相似，人類在爭奪僅餘的資源，如乾淨的食水、安全的食物、尚可發展的土地等之時，出現紛爭，最終演變成戰爭。你可以說這一切是我和單寧的錯，但也可以說這本來就是人類自己種下的禍根。人類如果懂得珍惜大自然，就不會有這樣的結局。」

我輕拍凌博士的肩來鼓勵她。這又怎能說是她的錯呢？她已經盡了力去拯救人類，只是人類最終還是無可救藥罷了。世人都覺醒了特殊能力，本來可以是美事一樁，最終卻變成了一場滅世浩劫，也只能說是人類自招的報應吧……

我看了看時間，距離地下室後備電源用盡只剩一小時多，我們要談的都談夠了，我於是把握時間，在凌博士的協助下，重新覺醒「人格生成」，並製造出新人格「單車」。

「單車」出現之時，身穿有型合身的深藍色西裝，跟凌博士的粉紅色長裙相當合襯。「深藍少年」跟「粉紅少女」，不知道他們的關係，真會誤會他們是情侶呢！

在我製造這個「單車」時，我微調了一下他的性格，把他的情感略為減少，以免他跟真正的單車同學一樣，知道現在的狀況後失控。他明白一切後，就盡他最大的努力，在「平行宇宙記憶」內不斷穿梭，盡量拯救尚未崩壞的世界。

每拯救一個世界，他約需要三分鐘。他奔波了近一小時，拯救了20個平行宇宙後，回到意識界內，呆站在我們面前，沒再出發。

「還有六分鐘呢！」我提醒「單車」道：「你還可以多救兩個世界呢！」

「夠了。」他誠懇地向我和凌博士說：「在人生的最後六分鐘，我想留在這裏，陪伴兩名對我最重要的女人，可以嗎？」

　　凌博士沒說話，只向他微笑着翻了一下白眼，而我亦尊重他的選擇。到最後，即使我削減了他的感性，「單車」還是如此重情的一個人。

　　人生的最後數分鐘正倒數着。在現實世界中，我握着仍安睡中的單車同學雙手；在意識界中，我、凌博士及「單車」，三人相擁在一起。在恐懼及悔意中，一同等待死神的降臨。

# 終章　深藍少年

（本章以『單車』的視點進行）

# 終章

深藍少年

1

「原子序是一個原子核內質子的數量。擁有同一原子序的原子屬於同一化學元素……」

又是沉悶的化學科！開學至今已經是第三課了，還在說什麼原子、質子、電子，進度也慢了點吧？不過，想深一層，對於其他第一次接觸化學的同學來說，這或許是恰到好處吧？

儘管如此，在上課這樣悶極無聊之時，倒是我的快樂時光。我最愛利用這些「空閒」時間來看課外書，今日我又在偷偷閱讀着抽屜內的小說《13 · 67》。這本書是香港作家陳浩基的推理作品，透過六個短篇故事，串連出一位警探的一生，同時讓讀者看到在這數十年間，香港的變遷以及警隊文化的衰落。此作榮獲 2015 年台北國際書展大獎，陳浩基更成為首位摘下這項大獎的香港作家，實在是揚威海外。

「化學元素周期表是根據原子序從小至大排序的化學元素列表……」西門老師的課堂繼續，我當然沒有在意，繼續專心看着小說……

良久，下課鈴聲響起，今天的課終於完結。以平日來說，我通常會先到校內圖書館看看書才回家，因為平日放學後的圖書館人很少，寧靜舒服，最適合獨自看書。而且，在圖書館內只要細心觀察，有時候還會留意到很多有趣的事情。比方說，教音樂科的 Miss Mak，經常在閉館前半小時來到圖書館，她平日上課時總是板起口臉，但在圖書館每每閱讀到有趣章節時，卻會展露難得一見的微笑。

還有鄰班的女同學，她跟我一樣幾乎每天都會來圖書館。不過，她跟我總是坐在圖書館的對角，因此我們即使每天都見面，卻不曾交談過，我對她實際上一無所知，甚至連名字也不知道。

不過，今日我並沒有前往圖書館，而是立刻趕回家，因為今晚將有盛大的派對！

2

回到家門前，我已感到內裏洋溢着一股歡樂的氣氛。果不其然，我把大門推開後，發現眾人早已到達。高健及他的弟弟高永勤正在客廳佈置場地，高太則和媽媽及婆婆在廚房準備食物。

「你真慢呢！」高健諷刺我說。

「嘻嘻！」我尷尬地微笑過後，發現場內好像少了兩個人，於是問：「你爸爸及哥哥呢？」

「他們稍後就到。」高健回應過後，繼續跟弟弟專心佈置。

今日我們之所以會辦派對，並非什麼節日，而是爸爸的生忌。爸爸一向喜歡熱鬧，媽媽於是建議每年的這天一定要高高興興地過。而且，為了紀念他的英勇行為，S機關的上上下下亦會在今日盡興狂歡。

還記得在我五歲之時，有一日，家中的雪糕只剩下一杯，我和爸爸正好也想吃。他希望我學懂為自己爭取，於是建議藉遊戲「變種魚蝦蟹」來決定雪糕的歸屬。我勇敢地接受挑戰，然而就在我看到遊戲盤的一瞬間，不知道出於什麼原因，一陣刺痛流過我的腦袋，我突然看到很多難以理解、又看似是發生在將來的事，例如什麼潛能覺醒計劃、Secretary背叛S機關、覺醒特殊能力的形態形成場確立、第六國度到處破壞、第三次世界大戰爆發，以至最終人類滅亡。我吃了一驚，全身冒起冷汗。雖然當中有很多人、很多事、很多詞彙我都不懂，但我依然嘗試把它們一一告訴父母。

**終章**

深藍少年

他們得悉之後比我更驚訝，因為我根本未見過Secretary，也不知道什麼是潛能覺醒計劃，照理不可能說得出那些事情，而且很多事情還要是尚未發生。他們說我可能是「深藍兒童」，冥冥中負責把這個訊息帶給他們。

深藍兒童（Indigo Children），又名靛藍小孩，是指擁有某種超自然能力的小孩。超凡的能力因人而異，但多數是能夠看到靈異現象，又或者預知未來。據說，深藍兒童的共通特徵是智力高、擁有很強的直覺、對周遭的變化非常敏感等。利用人體能量攝影，會發現代表精神力的藍色在他們身上特別明顯，所以因此得名。

事後，父母堅信我看到的正是未來，於是聯同部分S機關親信，籌備殺死Secretary的計劃，避免及後眾多的悲劇發生。可惜，百密一疏，行動中途出了岔子，Secretary識破了計劃，在混亂中爸爸跟Secretary同歸於盡了。

我當時很自責，覺得如果不是我告訴了他們那些「預言」，爸爸就不會慘死。媽媽卻安慰我道：「但如果你看到的是事實，你爸爸早晚都會被殺，人類亦會滅亡。你告訴了我們，雖然爸爸依然死了，卻拯救了數十億人的生命呢！」

事實上，S機關也覺得那個Secretary早有異心，所以才對我的「預言」深信不疑。儘管到現在，沒有人解釋得到為何當時我會看到那些奇怪的影像，而在轉眼間，「深藍兒童」已長大成「深藍少年」，我亦再沒看到有關未來的影像。到底我是否真的化解了一場滅世危機，我也不敢肯定。

「單車，」媽媽的聲音傳來，把我從回憶中召喚回現實：「你回來了嗎？」她身穿粉紅圍裙，從廚房探頭望出來說。

看到她這身衣着，我總是有點懷念小時候，她總是穿着實驗室白袍的樣子。不過，在爸爸離世後，她已放棄了研究

工作，並把獨居的婆婆接了過來一起住，正職當家庭主婦，兼職繼續營運 S 機關。

「嗯。」我回應。

她這時請我幫忙道：「家中的雞汁用光了，你可以替我去超市買嗎？」

我不禁翻了翻白眼，故意裝作頂撞她道：「都叫你蒸魚就不要用雞汁，魚有雞味其實很奇怪！」

「多事！快去幫我買，不然今晚沒飯吃啊！」她笑着回應。我們兩母子最近總是這樣鬧着玩，所以人家常說我們較像姐弟多於母子呢！

3

我不情不願地走到超市。自從媽媽當回家庭主婦後，我已很少來超市，不太熟路，找了好一會，才找到放有雞汁的貨架。

一名身穿校服的少女這時正蹲在該貨架前，看着低層的貨品。我沒理會她，走到她身旁，正要拿起雞汁之時，冷不防間，她突然站起來，我走避不及，她的手肘剛好撞向我的褲襠位置，我痛得掩着要害倒地。

「呀！對不起！」少女慌忙地說。看到我的動作後，她更緊張得胡言亂語及亂叫起來：「呀！我撞到你的……呀！對不起！會不育嗎？呀！要叫救護車嗎？呀！啊！」

在疼痛中聽到這些傻話，令我有點哭笑不得。為免她真的叫救護車，我強忍着痛楚站起來，安慰她說：「沒事，幸好我身體強壯，只是有一點痛而已。」

「噗哧！」她聽到我的回覆，忍俊不禁傻笑起來：「那跟身體強壯有關嗎？哈哈！」

看着看着，我才發現她有點面善，她似乎亦有相同發現，我們二人幾乎異口同聲地說：「咦？你是圖書館的那個……」

因着這巧合，我們相視而笑。我示意她先說，她道：「哈哈！你好，我是米雪梨。」

「我是單車。」

「『善居』嗎？不如叫你單車同學吧，好像親切一點。」她輕撥一下長髮，展現出開朗的笑容，建議道：「你也叫我英文名 Shirley 吧！」

人生真是奇妙，我竟因幫媽媽買雞汁而認識到這名女同學，或許這就是孝順的回報吧？哈哈！

星夜出版
Starry Night Publications

深藍少年～科學與異能的末日對決

作者：望日
編輯：Momo Chu
設計：Ryan Mo @ 廢青設計 C

出版：星夜出版有限公司
網址：www.starrynight.com.hk
電郵：info@starrynight.com.hk

香港發行：春華發行代理有限公司
地址：香港九龍觀塘海濱道 171 號申新證券大廈 8 樓
電話：2775 0388
傳真：2690 3898
電郵：admin@springsino.com.hk

台灣發行：永盈出版行銷有限公司
地址：新北市新店區中正路 505 號 2 樓
電話：886-2-2218-0701
傳真：886-2-2218-0704

印刷：嘉昱有限公司

圖書分類：科幻小說
出版日期：2017 年 1 月初版
ISBN：978-988-14895-8-6
定價：港幣 78 元／新台幣 350 元